● **CONTENTS** ●

● CONTENTS ●

#137 3DAYS

앗!
96 ―
두웅
!!
스톱!
안돼. 아직 팔의 힘으로만 슛하려고 하잖아!!
하앗
하앗
그런가?

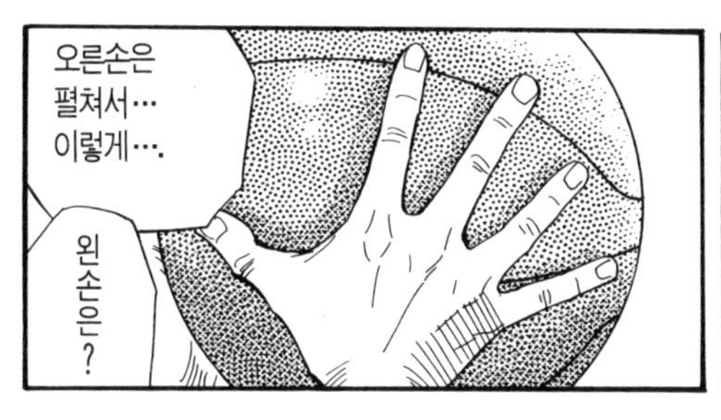
오른손은
펼쳐서…
이렇게….
왼손은?

볼을 잡는
방법은?

살짝
얹을 뿐!
그래.
볼을 잡음과 동시에
그런 폼이 나오지
않으면 안된다.

그래.

얹을 뿐!
탁

얹을 뿐!
탁

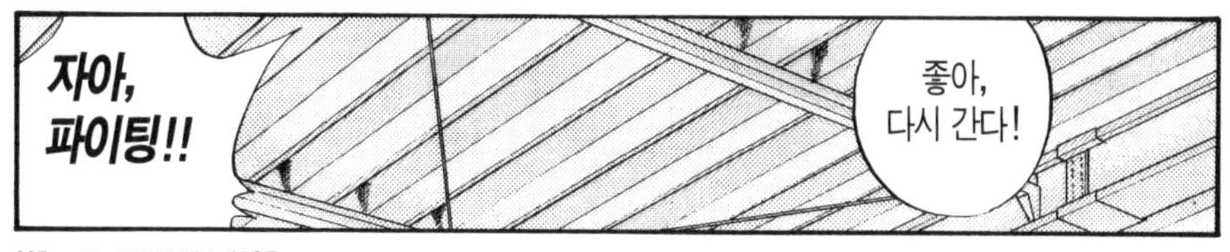
좋아,
다시 간다!
자아,
파이팅!!

102
결승리그 제2, 제3차전을
앞두고 백호의
맹특훈이 어제부터
시작되었다.

103
바로 골밑슛을
몸에
익히는 것.
백호도
북산의 공격에
참가시키기
위해서였다.

절대절명

웃샤!

스톱-!!

몸이
흔들리잖아!
수직으로
뛰어
올라야지!!
알아요,
나도!

항상 폼을
체크해야 해!
지금이 가장
중요한 때다!!
틀린 폼으로
아무리
연습해봤자
소용없어!!

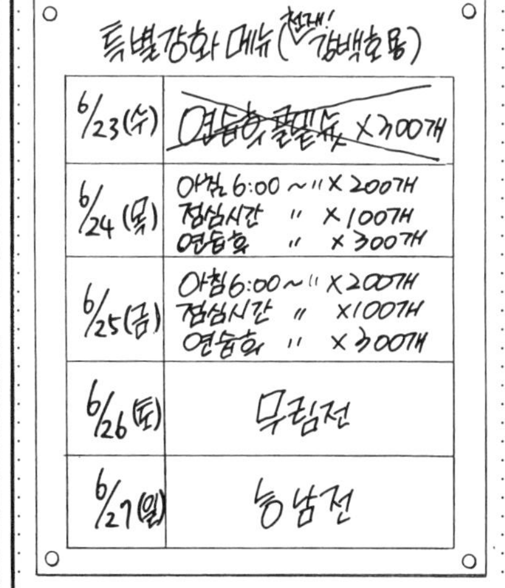

특별강화 메뉴 (천재! 강백호용)

6/23(수)	~~연습후, 골밑슛 ×700개~~
6/24(목)	아침 6:00~ 〃 ×200개 점심시간 〃 ×100개 연습후 〃 ×300개
6/25(금)	아침 6:00~ 〃 ×200개 점심시간 〃 ×100개 연습후 〃 ×300개
6/26(토)	무림전
6/27(일)	능남전

채치수 작성 메뉴

어쨌거나
반복이다.
반복하고 또 반복해서
몸에 익숙해지도록
하는 수밖에 없다!!

안녕-!
안녕.

덩

……!!

쩌억
학
학
학
학
꿀꺽
꿀꺽

두
웅
199 !!

좋아, 라스트다!!

학
학
오우!!

200
ㅡ

드둥웅

쿠ㅡ웅
아얏?!

탁
저 고릴라….
하!
하!
하

200!!

멍청아! 라스트 정도 확실하게 넣어야지!!
다시 한번!!

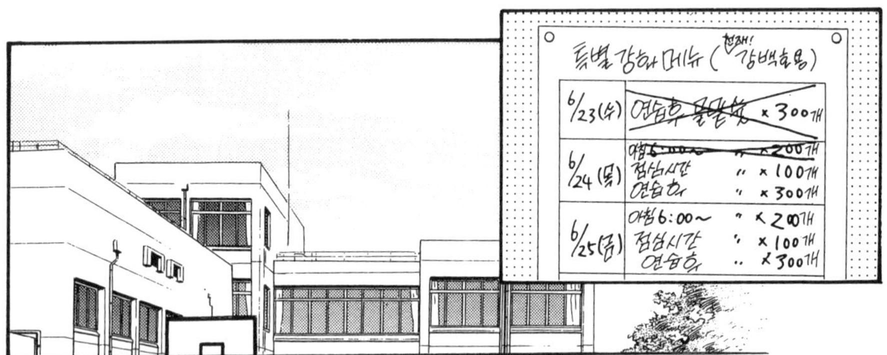
특별 강화 메뉴 (천재! 강백호용)
6/23(수) 연습 후 ~~물만 슛~~ × 300개
6/24(목) ~~아침 6:00~ 〃 × 200개~~
점심시간 〃 × 100개
연습 후 〃 × 300개
6/25(금) 아침 6:00~ 〃 × 200개
점심시간 〃 × 100개
연습 후 〃 × 300개

16
당…
당…

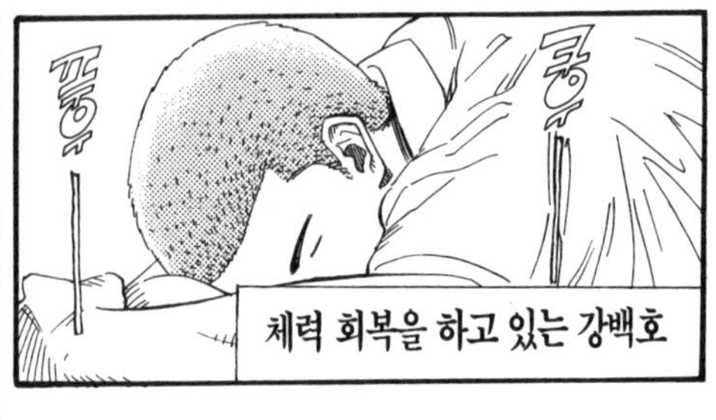
체력 회복을 하고 있는 강백호

네 놈의 엄청난 덩치는 너무 눈에 띄어!
부들 부들
지글 지글 해~
빡
빡

17
우와

고릴라….
잠깐 타임….

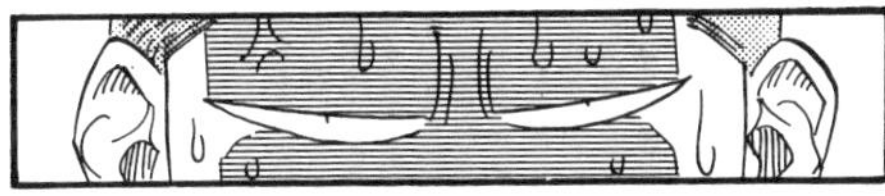

거기서 도시락 까먹지 마!!
응?

우와악!!
집중이 안된단 말야!!

진지한걸….

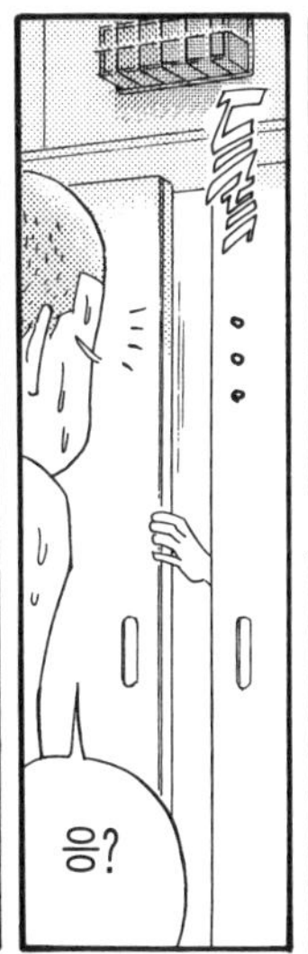
응?

이 녀석들! 집중이 안된다니까!

……!!

으아악!!
쿠~웅

아… 아니! 소연이였구나!
훌쩍
……
됐으니까 연습 계속해! 강백호!!

간다!!
이…잉….

23(수) 연습후 골밑슛 x 700개
24(목) 아침 6:00 ~ 〃 x 200개
점심시간 〃 x 100개
연습후 〃 x 700개
25(금) 아침 6:00 ~ 〃 x 200개
점심시간 〃 x 100개
연습후 〃 x 700개
댕……

데굴
앗!

하악
하악
하악

미끄러졌다….
젠장-!
하악
하악
잠깐 땀 좀 닦고 와라.

음….
하악
하악
하악
하악

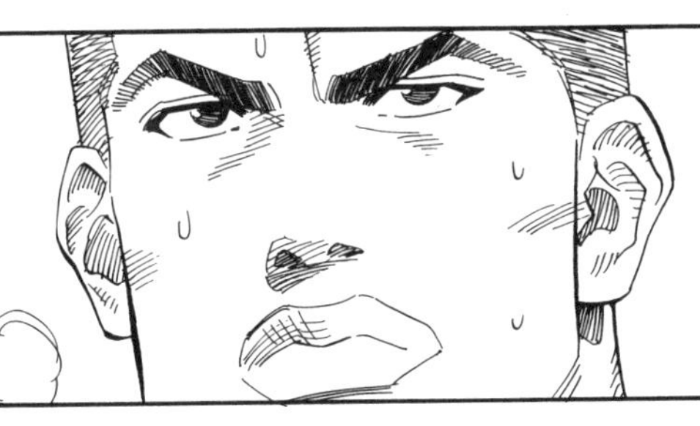
연습 후 300개는 역시 너무 힘들겠지….
하지만 이것도 아직 부족해. 시간이 아무리 많아도 부족할 정도야….

철썩

……

그건 그렇고
신기할 정도로
불평 한마디
안하는군….
꽈야—악
호오…?
아직 투지가
사그러들지
않았군!!
당연하지.
투지와 재능을
함께 갖춘
사나이,
강백호!
누가
그래?!
좋았어—!
라스트
88개!!
간다,
고릴라!!

어떻게
된 거야?
점프가
낮아졌잖아!!
213
!!
214
!!
손끝까지
신경을 써!!

풋내기로
농구부에
들어온 이래
드리블, 패스,
리바운드 등의
화려하지 않은
기초연습을
계속해온 강백호.

그런
그에게
있어….

슛 연습은
즐거운
것이었다.

나이스 슛!!
짝
짝
응?
!
상당히 멋진 폼이 됐는데! 강백호!!
짝
짝
짝
안경 선배!!
아직 돌아가지 않았냐?
이렇게 늦게까지 집에 안 가면 엄마가 걱정 할텐데?
하하하!
너도 마찬가지잖아…
역까지 갔었는데….
왠지 돌아오고 말았어….

뭐 도와줄 거
없냐?

……

좋아….
강백호.
1단계 올린다.
준호야,
네가 패스해.
난
수비다.
응?!

난 한 발자국도
안 움직이고
그저 손만
들고 있을 거다.
하지만
이것만으로도
상당히
느낌이
틀릴 거다.
흥….
그 정도로
될까?
이 천재에게!!

좋아,
간다!!

오옷!!

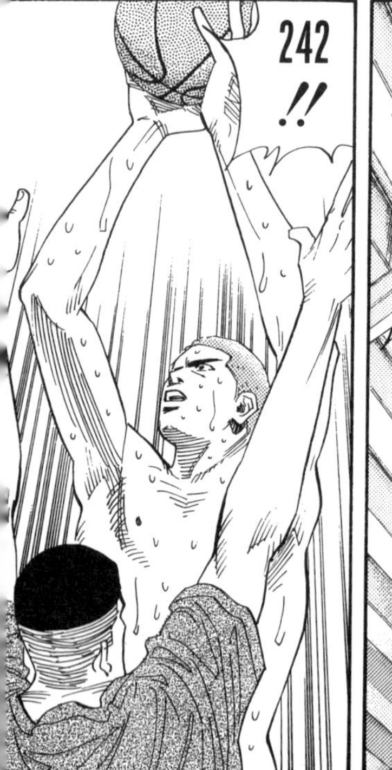
242
!!

안돼!!
디펜스를
너무 의식해서
폼이
엉성해졌잖아!!
흥!!
나이스-!
지금 한 건 아주
좋은 폼이었어!!
후웃!!
좋아!!

안경 선배는
좋은
사람이야….
나를 위해서…
부모님께
혼날텐데….

부모님은 별로…

난 3학년이라…
이번이
마지막이야.
만약
전국대회에
나갈 수
없다면….

모레
능남전이
마지막이야.

헉
헉
헉

앞으로
3일이면
은퇴다.
후회는
남기고
싶지 않아.

전국대회는
나간다.
그래.

암,
그렇고
말구!
앞으로
몇개냐?
치수야!

라스트
38!!

좋아,
덤벼라!!
간다!!

6월 26일
토요일

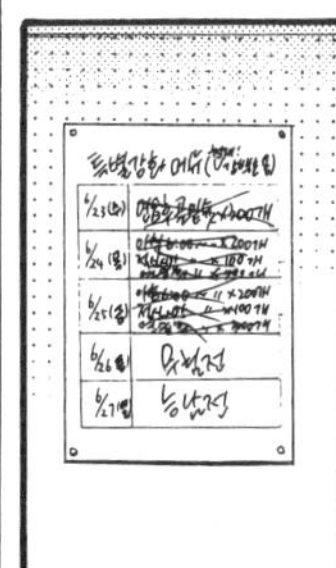

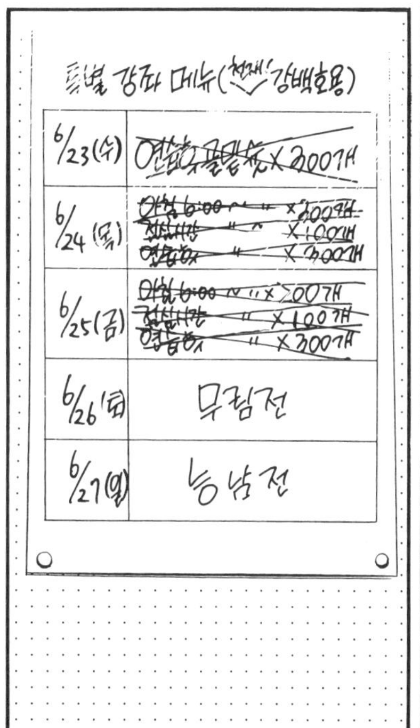
특별 강좌 메뉴(천재 강백호용)
6/23(수) 연습 후 골밑슛 X 200개
6/24(목) 아침 6:00 〃 X 200개
점심시간 〃 X 100개
연습 후 〃 X 300개
6/25(금) 아침 6:00 〃 X 200개
점심시간 〃 X 100개
연습 후 〃 X 300개
6/26(토) 무림전
6/27(일) 능남전

철썩
재밌다…
음냐음냐

♯138 서바이벌 게임

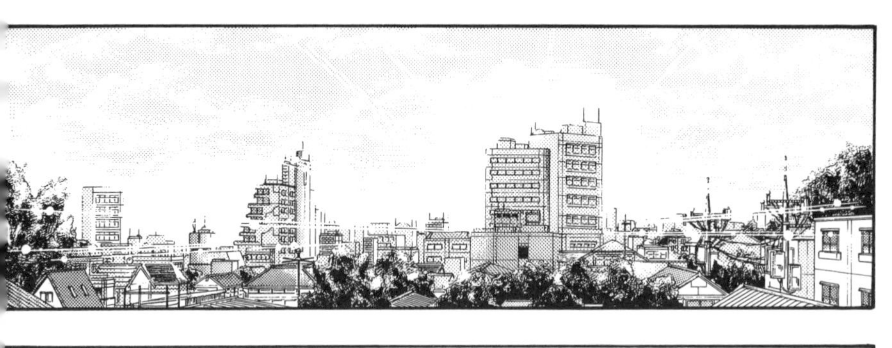

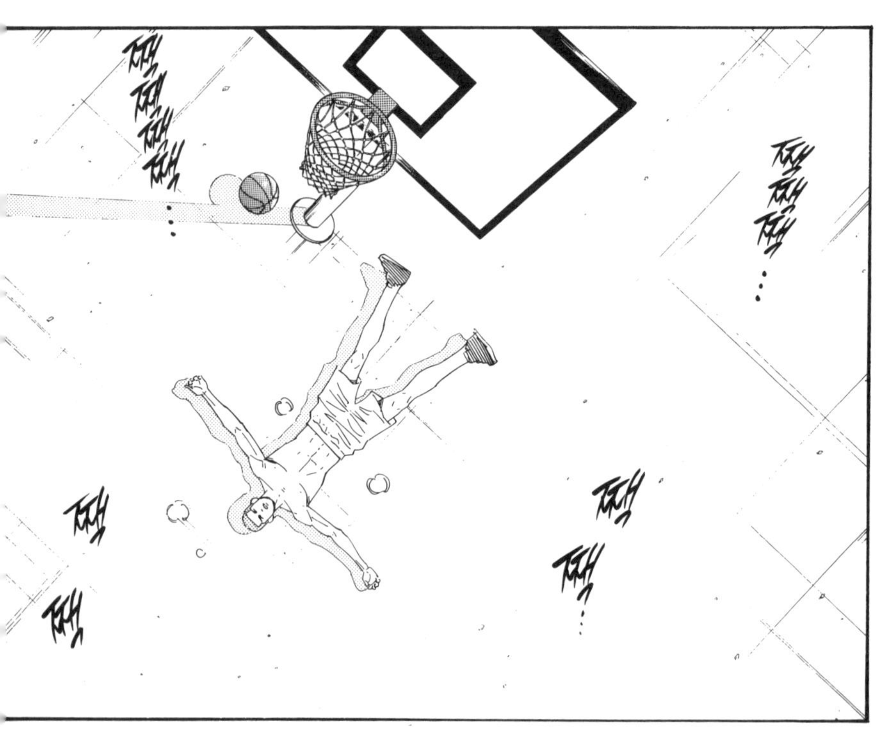

짹짹…
짹짹짹짹…
짹짹…
짹짹

~오늘의 시합~

제1시합 (10:00~)
북산-무림

제2시합 (12:00~)
해남대부속-능남

와아아아
心技
武里高等

북산!!
무림!!
와-
둥둥
둥
둥
와-
와-
무림!!
와-
와-
북산!!

양팀 모두
1패를 하고 있기
때문에
이 시합에서
지는 쪽이 먼저
탈락이야
그렇군요, 하진 선배!!

응? 이상하게 박력 있는데? 재룡군!
그래요.
방심금물!

지난번엔 도중에 잊혀져 버렸으니까요….

알겠나!!
북산만큼은 무슨 일이 있어도 이겨야 한다!!

해남은 아마 3전 전승으로 1위를 하겠지! 해남전은 버린다!!
우리의 목표는 2위 출장이다!
1승 2패로 3팀이 동률이 되면 득실점 차로 우리가 2위를 차지하는 거다!!

그렇기 때문에 북산전에 총력을 기울여야 한다!!
가능한 점수 차를 크게 벌여서 이겨야 한다!!
알겠나!!

네엣!!

와
와
이제 시작할 시간이군요….
와

북산 파이팅~!
와아아
채치수-!!
서·태·웅♡
서·태·웅♡
아
아

북산은 이 대회에서 완전히 인기팀이 되었군.
와 와
화려하고 돋보이는 팀이니까요!!

그렇다곤 해도….

어떻게
된 거지,
북산은?!
술렁
그 녀석이
없잖아!!
술렁
술렁
해남전에서
이정환을
날려버리고
덩크를 넣은 녀석!!

빨강머리
강백호가
없다!!
술렁
10번!!
술렁
난
그 녀석을
보러
왔는데!!

다시 한번
전화 해볼래!
웅성웅성
아…
예!
별루 없어도
괜찮은데.
그바보 녀석!

삐익
시합 개시!!
와
와아아아

그 멍청한
녀석은
도대체
뭘 하고
있는 거야!?

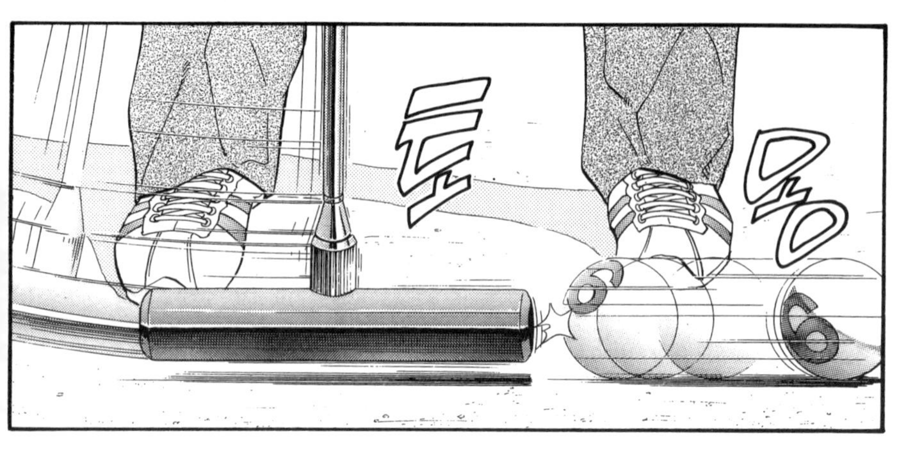

데굴데굴데굴

!

....

SEIKO

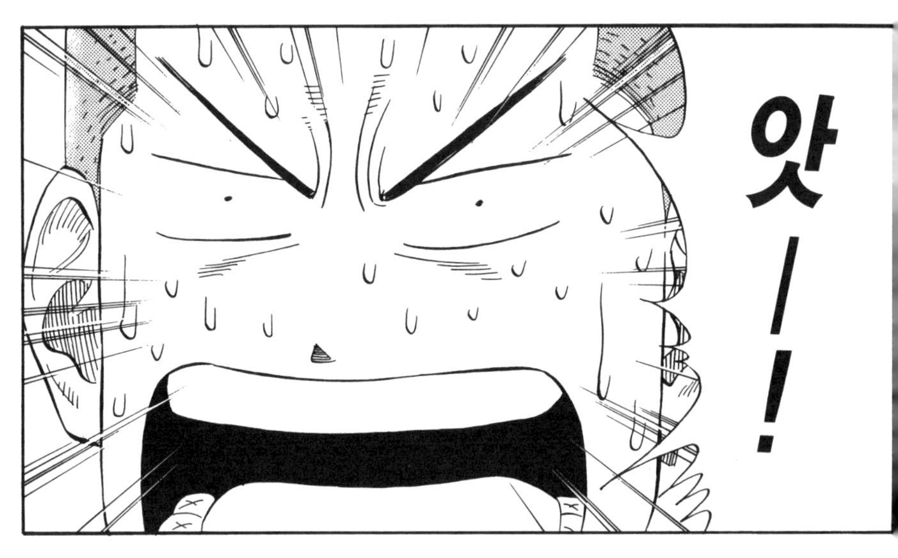
앗--!

와아--
아

카
아아ㅇ
11
武里

아, 아니ㅡ!?
우와아앗!!
서태웅이다!!

우우우우우우우웃.
끼익 끼익 끼익 끼

아니, 북산이 벌써 채치수를 교체하잖아!
웅성 웅성
힘을 온존시켜둘 생각인가!!
그 발목 부상이 1주일로 완치됐을 리가 없지.
능남전을 위해서 군요!!
덜컹!
덜컹!
덜컹!
덜컹!

우웃!
팍
휘
와

우오-옷!!

헉!
강하다!!
헉!

젠장…!! 어느 사이에 북산이 이렇게 강해졌지!!
완전히 우리 팀이 최하위 팀이 된 것 같잖아!!

점수 쟁탈전을 벌이면 무림은 이길 수 없어.
공격력이라면 북산은 도내 2위를 다투는 팀이야!!

북 산
98
6:18
2ND
무
삐
와

역시 벌어지는군 ….
와
와

……………
와
와

그건 그렇고 백호형은 도대체 어딜 간 거지….
백호형의 일이 마음에 걸려….
AIDA

우와, 저길 봐!!
저기 말야!!

뭐야?

앗?!

!!

쾅
강백호다!!
뭐? 강백호?!
뭐야, 저 빡빡머리는!!
!!
앗!!
와하하핫! 뭐냐, 저 녀석!!
까까머리다!!
왁
산
5:02
무
그
2ND
남은 시간 5분…!
갑자기 중이라도 된 거냐!!
무슨 생각으로 머릴!!

와
아니?!
카카카카!
와
강백호!!
와

쿵
이 멍청한 녀석이!!
!!

백호형! 엄청난 투지야!
그렇구나! 머릴 깎느라고 지각을?!
그래도 설마…

와
뭣때문에 특훈을 했다고 생각하냐!
와
와
그러니까 특훈을….
와

오늘 아침도…
200개를 하고….

――!!

잠깐
졸음이 와서
그만…
그대로….

아무도 시키지
않았는데
스스로
200개나
했단
말이냐,
강백호….

……

졸지 마!
바보 녀석!
쿠웅
앗!
쬐끔만
자려고
했는데!!

오늘은
넌 나가지
않아.
띠―용
뭣―이?!

특훈의 성과를
일부러 능남에게
일 필요는 없다.

능남….

응?!

저 녀석은…!!
…………

삐이이익
와아아아아아
시합 종료 -!!

와
좋아! 이것으로 1승 1패다!!
아아
아
북산 120 - 81 무림
(1승 1패) (2패)
절대절명의 순간에서 한발자국 전진했어!!
아
이겼다 -!!
아

다음 시합이 사실상의 결승전일지도 ….
그리고…

와
와
이제 우승 쟁탈전은 해남・능남・북산 세 팀으로 좁혀졌군요….
그래.

울지 마라.
내년에 기회는 또 온다.
흑흑…
이젠 3연패가 확실해….
흐윽흑…

좋아,
간다!!
네엣!!
가자!!
으라차!!!
야

……
……
빤히—

능남의 도전

南
7
6
15

#139 능남의 도전

常勝

콰앙
우와아앗
—!!
우와아아아
!!!
와아아아아아
굉장하다!!
쩝어
께막
변덕규!!
와아아아

저렇게 거대한 인간은 처음 봐!
뭘 믿고 저렇게 크냐!
도대체 키가 몇 cm지? 저 녀석!

두목원숭이 녀석!
흥!

그럴지도…. 해남은 그렇게 큰 팀이 아니니까.
202cm의 변덕규에겐 제아무리 해남이라도 고전하겠죠!

정말 대단하네요!!
서서 보면 저 사람의 크기를 알 수 있어요. 하진 선배!!
알았으니까 앉아.

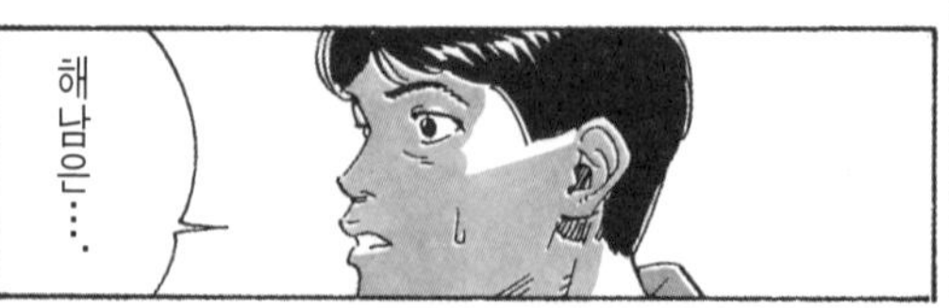

해남은….

와아아아
뭐랄까,
담담하게
연습하고
있는 것
같네요….
와아
타앙
타앙
MAKI

조용히 연습
하는 것 같아도
뭔가 엄청난
파워
같은 걸 느낄 수
있어요…!!

이것이
왕자 해남의
관록이란 건가?
역시
강해 보여….
常勝
MAKI

3분전!

좋아,
라스트다!

라스트다!!

온 체육관의
시선을
한몸에
집중시켜
볼까!!

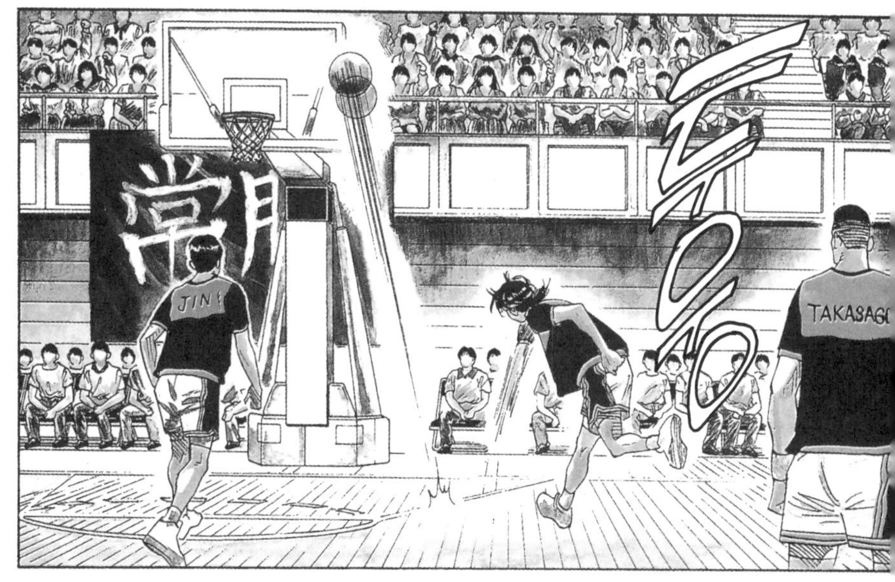

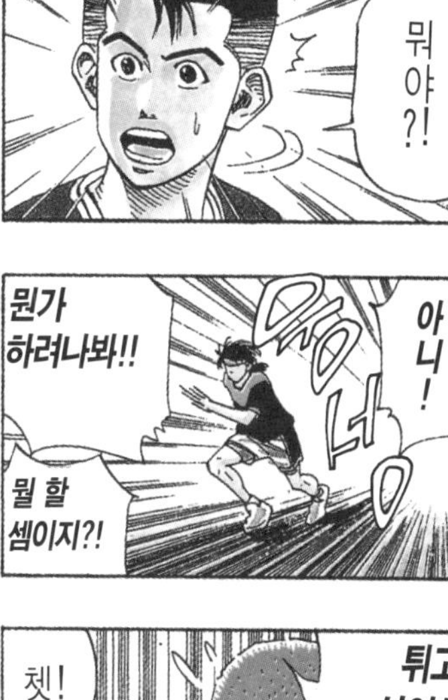

뭐야?!
아니!
뭔가 하려나봐!!
뭘 할 셈이지?!

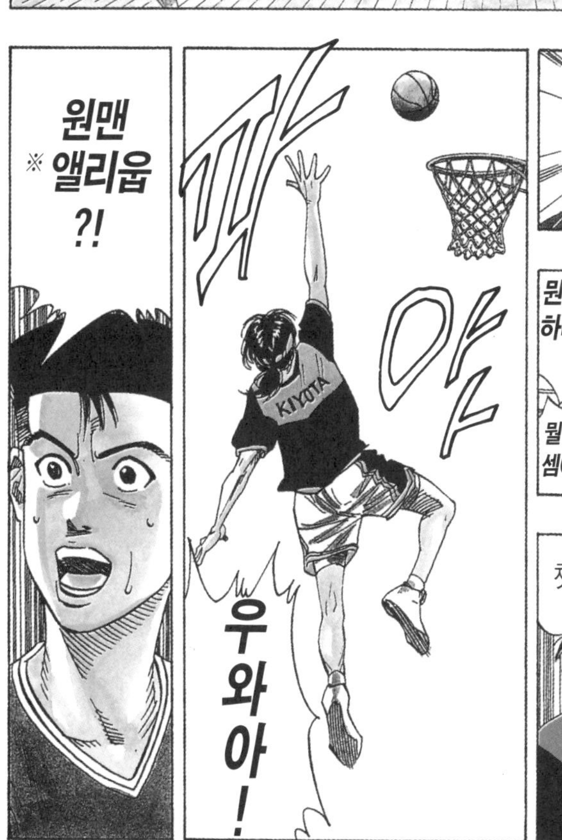

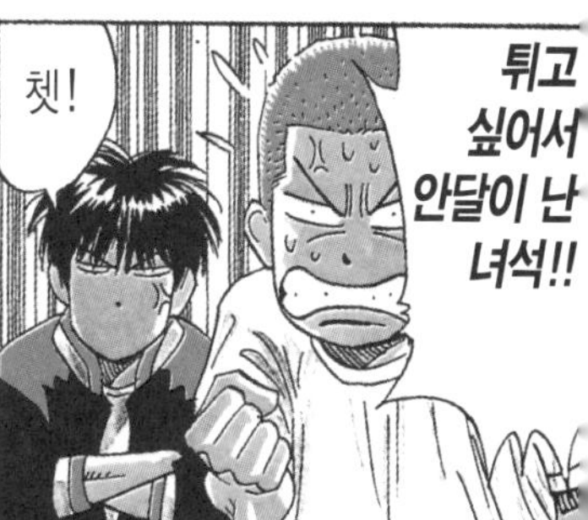

튀고 싶어서 안달이 난 녀석!!
쳇!

※ 앨리웁:공중에서 볼을 잡아 그대로 덩크하는 것.

철
썩
!!
헉!

우
하
뭐야?
그냥 들어
갔잖아!!
하
하
하

덜컥
이런!...
KIYOTA

와하하하
멍청한
야생
원숭이!!
음!

응?

!!

아니!!

우와아
아앗!!
골인이다
-!!

집합
네엣!!

췟!
저 녀석이
….
튀고 싶어 안달이 난 놈!
……

저 녀석은….

……
아냐….
연습시합땐
없었어.

저 녀석은…
태산이다.

태산이?

태산아….
준섭아,
집합이다.

……
태산이라니 누구야?
저 녀석,
아는
사이냐?

신준섭…!

……

잘
부탁합니다!!
여전히
얼굴은
엄청나군.

왜… 왠지
사연이 있는
두 사람
같은데…?!
불끈…
…고교때
부터다.

내가 고2였을때,
저 녀석은
'공포의 신입생'
이라 불리며
1학년때 이미
스타가 되었다.
한편,
나도 자랑하는 건
아니지만
'도내 폭탄'이라
불려지는
선수였다.
우리 둘은
라이벌이었지.

그래….
지금으로
비유하자면
내가
윤대협….

남감독이
서태웅쯤
됐을 거다.

윤대협….
서태웅?
…………

거짓말!
거짓말!
거짓말!
저…
정말이야!!
!?
거짓말!

해남대
20:00
능남
0
1ST
0
그건 어쨌든 간에….

모두…
눈을 감아라.

지금까지의 연습을 떠올려봐라….

……
꾸 꾸 꾹
……
꽁
……

눈을 떠라.

하아-
하아-
하아-
하아-
헉-헉-
헉-
아-!
생각하고
싶지도 않아!
식은땀이
절로 나와!
생각만 해도
토할 것 같다!

알겠느냐….
연습량으로는
우리가
최고다.
북산보다,
해남보다도
많이
연습해 왔다.

힐끔…
남감독이
얼마만큼
엄격한지
모르겠지만….

……!!
응….

내쪽이
훨씬
강하다!

나의 감독생활
중에서
올해가 가장
심한 훈련이었다.
가장
힘들었을
것이다.
능남 학교 농구부
해남대
RYONAN

잘
참아주었다.

황태산….
대 20:00 능남
0 0

중2 말쯤에 농구부에 들어와서 함께 플레이한 건 몇개월 정도였어.
초보자였기 때문에 실력이 대단한 건 아니었지만….

단…!

맹렬한 기세로 실력이 늘어갔어.

이제 우리 능남이 왕자가 될 때다!

학교
그후
고등학교에
올라와 어떻게
됐는지는 몰라.
자… 나가볼까!!

#140 묘책
와아아아
아
아
와아아아아
자신이 마크할 능남의 상대를 잘 봐둬라.
또 해남은 어떻게 공격하고 어떻게 수비하는지도 말야.

능남고교
스타팅 라인업

해남대부속고교
스타팅 라인업

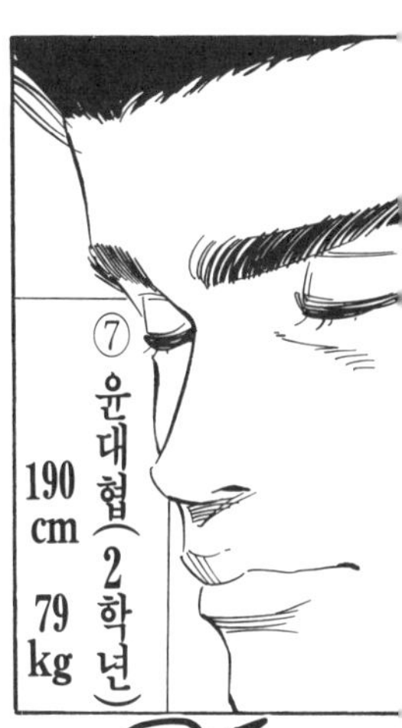
⑦ 윤대협(2학년)
190cm 79kg

⑧ 백정태(2학년)
170cm 62kg

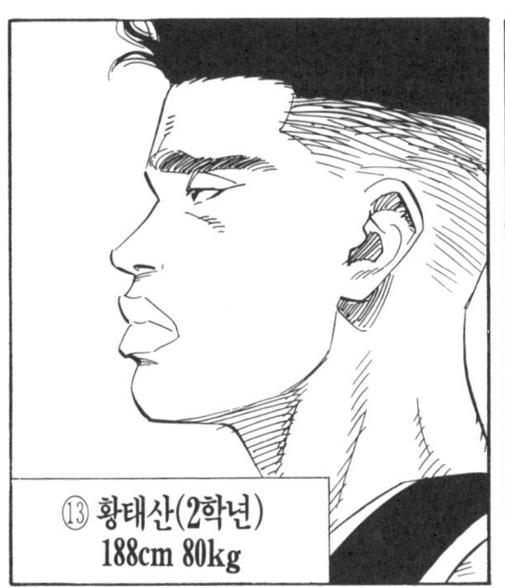
⑬ 황태산(2학년)
188cm 80kg

와아
시합을 시작하겠습니다!!
와아
우와앗!!

⑥ 신준섭(2학년)
189cm 71kg

⑨ 김동식(3학년)
184cm 75kg

⑩ 전호장(1학년)
178cm 65kg

정~말
크다!!
이 아저씨
같은
녀석!!
장난이
아냐!

헉…
헉…
……

흐음….
이건
주목할만한
대결이군….
뭐가?

와아
두목원숭이
대
야생원숭이….
너도
마찬
가지
야!
와아
와아
멍청이!

이정환…!
찌익
찌익
찌익

음…

도내 넘버원의 간판은 오늘까지만이다.
이 시합에서 반드시 바꿔주겠다.

!

!

뭣이?!

네겐 무리다,
변덕규!

내가
아니다.

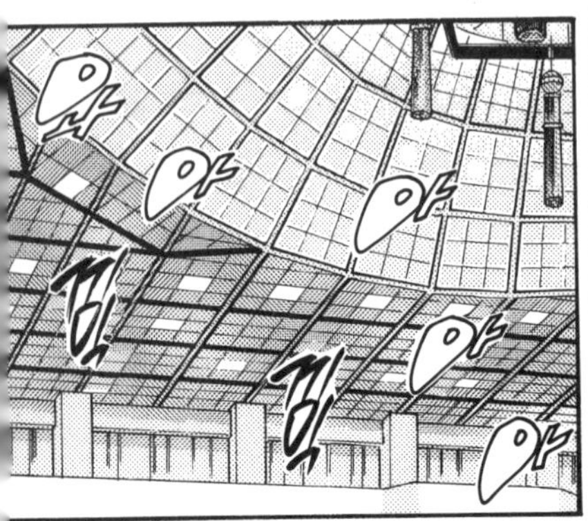

윤대협이
한다.

호오….
……!!

부담되는걸….

능-남!
와-
능남!
와-

와-
해남!
와-
해남!

와아아아아아
해남!
능남!
해남!

해남!
해남!
능남!
해남!
능남!!

파앗
우왓! 역시 변덕규다!!

시작은
능남볼이다.
와
와
와

응?!
와아
와

탕

대협아,
부탁한다!!

자아, 한골 넣자!!
윤대협이 PG (포인트가드) 다!
190cm의 윤대협이?!
훗….
덤벼봐라, 윤대협!!
능남의 가드진으론 이정환에게 맞설 수 없는 건 확실하지만….
묘책을 들고 나온건가…?
유명호 선배!!

하지만….
지금 이 시점에서 당신의 패배다.

와!
와!
……

묘책이라
불리는
모든 작전….

그
대부분은…
상대를 너무 의식한
나머지 본래의 자기 모습을
잃은 것에 지나지 않아.
19 53
1ST
0

!!
쟉

!!
와아

위험해!!
오오오

저거야….
조금만 방심하면
볼을 빼앗긴다.
그 순간
이미 상대의
속공을
당하고 말아.
와
와
이정환은
수비하면서
공격해
들어온다…!!

190cm의 윤대협에게 익숙치 않은 포인트가드를 맡긴다는 건…
이정환을 의식한 나머지 윤대협의 힘을 죽이고 마는 것이다!!

!!

와아
아아, 너무 높아!!
패스 미스다!!

!!

제아무리 변덕규라도 저건 잡을 수 없어!!

깐
까앙

!!

아니-?!
우와아아아아
우와아아아앗!!
뭐야?!

우와--!!
앨리웁을 성공 시켰어!!

절묘한 패스!!
웅성!!
어떻게 저런 패스를 할 수 있을까!!

와
야
야
강백호…
야
응?!

저 13번을 잘 봐둬라!!
와
야
네 상대가 될지 몰라!!
야
야

황태산인가…!!

4번!!
웃?!

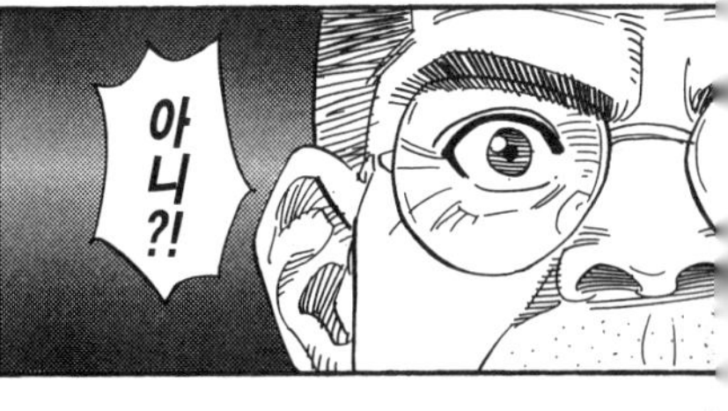

아니?!

※박스원 이다!
와!
능남은 끝까지 이정환에게 윤대협을 맞붙일 작전이야!!
와!

※박스원: 상대의 특정 플레이어를 한 명이 맨투맨으로 마크하고, 나머지 4명이 지역방어를 하는 수비형태.

유선배…!!

윤대협의
힘을 믿지
않으면
이런 작전은
펼칠 수 없지.
남감독!!

윤대협은
이정환을
능가하는
그릇이다!!

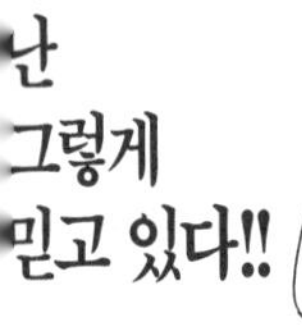
난
그렇게
믿고 있다!!

!!

좋아,
윤대협!!

칫….
윤대협이
한다.

이 녀석….

그럴 생각이
없는 것도
아닌가본데….

!
또 점점 조그맣게 만들려는 건 아니겠지…?

♯141 POINT GUARD

와아앗!
역시 능남은 윤대협이 PG (포인트가드) 다!!

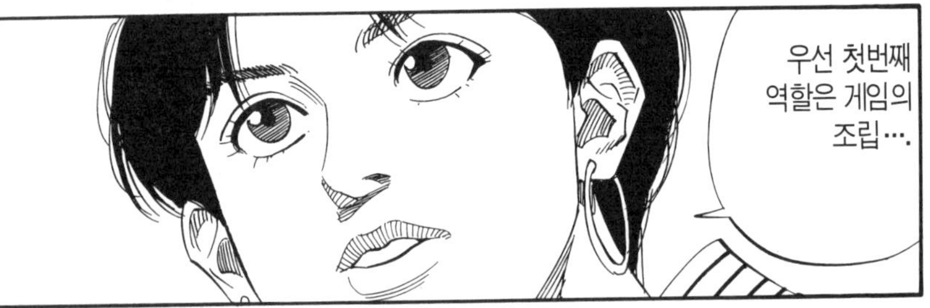
우선 첫번째 역할은 게임의 조립….

코트 위의 감독이라고나 할까?!

키가 작은 사람이 하는 포지션 아닌가요?
일반적으론 그렇지.
능남의 원래 포인트가드는 백정태군이고.

하지만 드리블이 뛰어나다든지 하는 '첫번째 역할'의 소질을 가진 선수가 키가 작은 사람이 많아서 그런 것이지,
작지 않으면 안된다는 법은 없어.

아…
그렇군요.

이와 같이
포지션을 번호로
표시하는
경우도 많다.
PG(포인트가드)-1번
SG(슈팅가드)-2번
SF(스몰포워드)-3번
PF(파워포워드)-4번
C(센터)-5번
Dr.T의 도움이 되는 바스켓볼 용어 강좌

앗…!

우와아앗!!
와아아아
어떻게 저런 패스를!!
윤대협!!

절묘해ㅡ!!

절묘해….

어떻게 된 거야!
능남이 압도적이잖아…!!

능남!!
해남대
12:36
1ST
8
능 남
16
와아
능남!!
아
아
휘
와
팍
앗?!
다악
멋져!!

하얏!!

와아아아
윤대협 이외의 4명이 계속해서 득점을 해내고 있어!!
와아아 -!!
윤대협의 패스가 좋아서야!!
변덕규!!

쳇…!
와아아아
나이스 패스, 윤대협!!
와아아아
삐- 익
작전타임 - 해남!
해남대
8:29
능남
14
1ST
25

와
아
아

놀랐는걸…
포인트가드
윤대협이라….
아
아
아

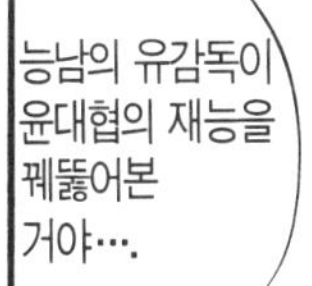
능남의 유감독이
윤대협의 재능을
꿰뚫어본
거야….

와
아
아
노마크의
자기팀 선수를
발견하는
재능.
게임을
풀어가는
재능.
아

폭넓은
시야.
아
아

그리고
패스 센스.
어느 면을 봐도
포인트가드에
꼭 맞아.

윤대협의 재능을 가장 잘 살릴 수 있는 포지션은 포인트가드 일지도…!!

와
아
아
아
알겠느냐….
남 대
8:29
14
1ST
25
남

지금까지 여러 팀들이 우릴 쓰러뜨리려고 도전해 왔다.

하지만 너희들은 하나도 남김없이 그 팀들을 쓰러뜨려 왔다
그것은 너희들이 그저 지키는 것에만 전전긍긍하지 않았기 때문이다.

주위에선 너희들을 왕자라 부르며 최강이라 치켜세워 주었지만
그런 소리에도 해이해지지 않고 항상 승리에 대한 굶주림을 계속 가져왔고
공격하고 공격하고 또 공격하여 지금의 해남을 만들었다.

윤대협!
변덕규!
그리고 정체를 알 수 없는 포워드가 가세한 능남은 강하다!!
고등
농구

……

그들은 최강의 도전자다.
힘은 막상막하!

승리하고 싶다는 집념이 강한 쪽이 이긴다!!
삐—익
자아, 오늘도 언제나처럼 맹렬히 공격해 나가라!!
네엣!!

이대로 끝까지 가리라곤 생각되지 않아….
와
와
그래?
으음.

이정환이 침묵만 지키고 있을리 없다.

탕
KAINAN
앙

자기 외의
4명을 잘 살리는
윤대협에 비해,
이정환은 인사이드로
과감하게 파고드는
스타일!
그곳에서
시작되는 해남의
공격형태가 아직
나오지 않았어.

슬슬
나올 때가
됐지.

탕
앙
척

쉬익

선배님…. 역시 상당히 단련시켜온 것 같군요….
벗진 수비를 펼치고 있어…!!

―!!

씨익
좋았어!!

빈틈이 없다!
와아아아
배남 특유의 공격형태가 나오지 않는 게 아니라 내고 싶어도 못 내는 건가!!
저렇게 허리를 낮춰 수비하는데야 좀처럼 뚫고 나갈 수 없어!!

얏!!
—!!
과연 이정환이다!!
변덕규!!

우와앗!!

공장한
패스다!!

탁
악
!!

당연하지!!
파
앗

아앗!!

!!

해냈다!!

아, 아니－?!

우와아아아아
수비가 엄청 강해!!
공장한걸!!
이렇게 되면 어쩌면…!!

…너희들 정말 이런 능남을 상대로 1점차밖에 뒤지지 않았냐…?
………

아얏, 너 역시!
아얏, 왠지 따끔따끔한 걸?!
쏴아
쏴아

기세가 오른 능남은
해남대부속고에
10점차를
벌여놓은 뒤
전반을 끝냈다.
와아
아
아
아
142 황태산의 비밀
그리고
후반에 들어서도
그 기세는
계속됐다.
와아
아
아
삐―익
해남대 20:00 능남
29 2ND 39
자아,
후반이다!!

스윽
!!
나이스!
파
타
앗
우웃!!
앗
!!
치잇!!

웃?!
!!
우아앗! 억지로 집어 넣었어!!
공장해! 저 13번 아주 끈질긴데!!
강하다!!
얼굴도 왠지 끈질기게 생겼어!!
왠지 몰라도!

헉
헉
엄청나,
태산이형!!
이것으로
20점째야!!
이 시합이
데뷔전이라고
생각되지
않아!!
팀
최다득점이다!
크윽….
제때
돌아와줘서
다행이야….
작년
봄—
도쿄의 중학교에서
스카우트해온
윤대협이
입학했다.

갓 입학했음에도
불구하고
윤대협의
플레이는…
때로는 팀의 기둥
변덕규도 압도할
정도의 파괴력을
보여주었다.

이때 또 한 명의
남자가
변덕규에게
도전해 왔다.
황태산이라는
신입생이다.

상대가
될리가
없었다.
신입생 중에서도
가장 실력이
떨어졌었다.
그러나 황태산은
항상 윤대협에게
라이벌 의식을
가지고
있었다….

능남의
속공이다!!
2
대
2
!!
아
니
?!
2 대 2 라도
그냥 밀고
들어갈 것
같은데!!

정말이지
제 분수도
모르는
녀석이었다.
가장 형편없는
주제에 윤대협을
이상하리만큼
의식했었지….

하지만 태산이의
플레이에는 당시에도
어딘가 스타일이 크다는
느낌을 갖게 하는
무언가가 있었다.
탕

우와아
아앗!!

와
들어갔다
—!

와
아아아
태산아…!!

젠장!
빌어먹을! 누구냐? 저 13번은!

좋아! 잘했다, 태산아!!

와아아아
어째서 저렇게 좋은 선수가 지금까지 나오지 않았을까요?!
이번이 공식전 첫출장 이잖아요?
정말….

나의 실수였다….

윤대협과 황태산— 이 두 사람은 반드시 장래 능남의 두 축이 된다.
틀림없어!!

프라이드가
강할 것 같은
윤대협은
칭찬해주고.
아직 잃을 것이 없는
황태산은 혼내줘서
성장시켜야겠다.

그때 이미
실수를 범하고
있었다는 걸
난 깨닫지
못하고
있었다….

황태산이
진짜 플레이어가
됐을 때 —
때가 능남이
내를
압하는
다!!

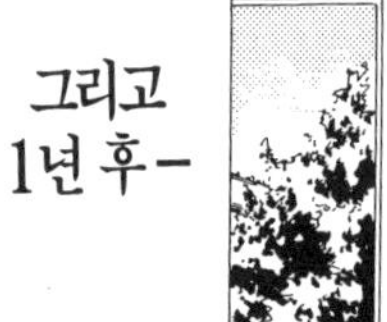
그리고
1년 후 —

능남!!
능남!!
능남!!

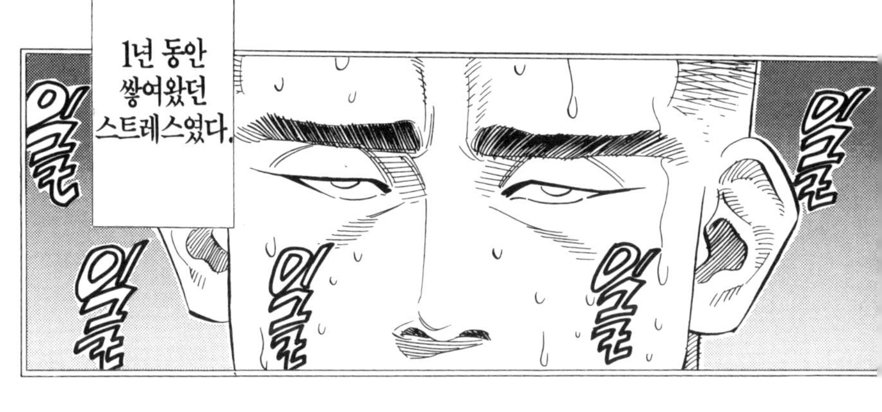

1년 동안
쌓여왔던
스트레스였다.

아쵸오~!
!!

아쵸오
아쵸오
아쵸오우!!
우왓!
그만해,
태산아!!

프라이드가
강했던 쪽은
사실 늘 혼나는
역이었던
황태산이었다.
혼나는데
무감각하다고
생각했던 성격이
사실은
아주 섬세했던
것이다.

교내에서의
연습시합 중의
일이었던만큼
학교측에도 알려져

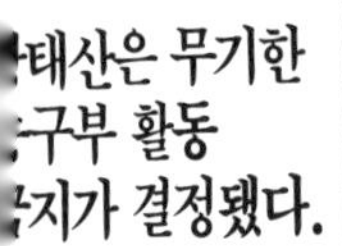
태산은 무기한
구부 활동
지가 결정됐다.

다시 돌아와서
정말
다행이야…!!

와아
나이스,
황태산!!
파이팅,
황태산!!
아
아
잘한다,
황태산!!
아
아

쳇!
시끄러워
죽겠네!!

황·태·산!!
와아아
황·태·산!!

더욱….

와아아아
더 크게
칭찬해다오.
불
불

훗
재밌
녀석이

태산아…….

와－
나이스!
탁－
와－
와－

와아아
15점차!
이
시합에서
가장 큰
점수차다!!
아
아
해남대

능남에 저런 ※스코어러가 있었다니 …!!
완전한 오산이다 …!!

많이 성장했구나, 태산아….
비는 여전히
점투성이지만
쨌든 볼을 링에
집어넣는 공격력은

※ 스코어러 : 엄청난 득점을 올리는 사람.

과연! 저 황태산이 포워드에 있으니까 윤대협을 포인트가드로 쓸 수 있었구나…!!

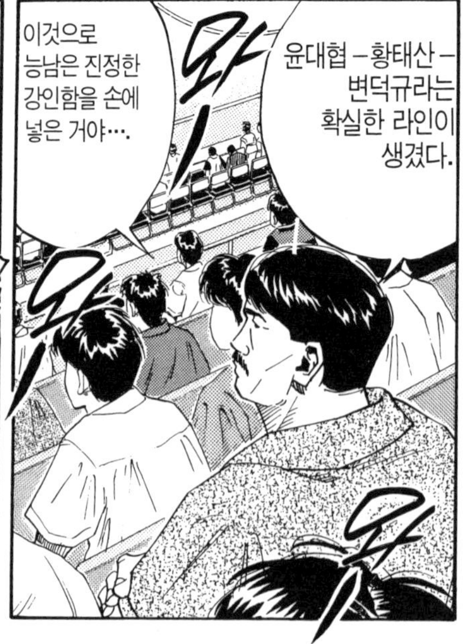

윤대협 ―황태산― 변덕규라는 확실한 라인이 생겼다.
이것으로 능남은 진정한 강인함을 손에 넣은 거야….
와
와
와

드디어 왕자 해남이 무너질 날이 온 건지도 몰라…!!
꿈틀

이봐요, 아저씨!!

까무러칠
지금 북산이 능남보다 약하다고 말하고 싶은 거예요?!
북산을 이긴 해남이 능남한테 진다는 건…!
뭐, 뭐야? 넌!!
강백호!!
그만둬!!
우와아앗?!
웅성
웅성
웅성

와아아아아아
나이스, 황태산ー!!
……
쳇…
웅성 웅성

야, 백호야! 어디 가는 거야?!
돌아가겠어.
웅성웅성
웅성웅성
웅성웅성
웅성웅성
웅성웅성
뭐라고?!

시간이 아무리 있어도 부족해!

……!!

야ー! 애늙은이!! 야생 원숭이!!
으름
우지 마!
놈들 때문에
리가
하다고
보이잖아!

융
뭐?!
넝

시끄러-
빨강털
원숭이!!
잠자코
보기나 해!

돌아갈 거다
멍청한 녀석

훗….
백호 녀석!

이 녀석들 정말
강하단 말야….
특히….
윤대협이 굉장해!!
정환이형과
1대1로 맞서는
녀석은 처음 봤다!!

하지만….

나도
최강의 루키라
불려지고….
장래엔
도내 넘버원의
자리를
정환이형에게
이어받을
남자다!!
누가
그래
..?!

!!
앗!!
빠르다!!

!!
언제까지
정환이형에게
의지하고
있을 수만은
없어!!
우와아
-앗!!
엄청
높아!!
KAINAN
10

으라차!!
어
!!
KAINAN

앗!
왕자
해남을
얕보지 마라!

조금 멋있을라 그러네?! 야생 원숭이 주제에!!
오옷?!

와아
아
아
아
아
우와아아
아앗!!
저거
진짜야?!
#143 해남 WAVE

대
10:06
능남
18
2ND
61
와아아아아
전호장이란 녀석, 대단해!! 말로만 떠드는 녀석이 아니었어!!
변덕규 머리 위에서 덩크를 터뜨리다니!!
어떠냐!!
저 신장으로…. 믿… 믿을 수 없어….
멍-
변덕규에게 이건 쇼크야!!
굴욕이겠지!!
와-
와-
와-
애송이 녀석….

저 녀석……

앗?! 태웅아, 너도 설마 돌아가려는 건….
와
능남의 실력은 이제 알았어요.
더 이상 볼 필요가 없으니까.
와

나도….
대만아!

먼저 갈게!
태섭아!!

뚜벅 뚜벅 뚜벅

하여
단체행동이란 것
모르
녀석들이야…
맘대로들 해!
후—우

전호장의
덩크로
시합은
알 수 없게
됐지만,
어쨌든
15점의
리드라니
보통이
아냐….

해남을
전반에
단지
29점으로
저지한
디펜스
….

윤대협이
포인트가드로
나오면
어떻게
해야하나
….

…………

역시 내일은
나의 활약에
따라….

느긋하게
게임이나
보고 있을
때가 아냐!
황태산이
몇점을 따든
슛 특훈을 한 천재
강백호에겐
당할 수가 없을걸!

우오오오
오오옷!!

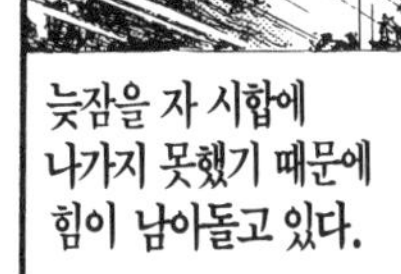
늦잠을 자 시합에
나가지 못했기 때문에
힘이 남아돌고 있다.

아직
내일까지
시간은
있다!!
내겐
특훈만이
있을뿐!!

윤대협도
두목 원숭이도
황태산도 모두
내가 제압한다
-!!

와—!
와—!
와—!

앗!!
탁
악

스틸!!

저럴 수가!!

돌아가!!
빠르다!!
두두두두두
내가 막아주지!
쏘게 할까 보냐!!
파
앗!
파울하면 안돼! 영수야!!

우왓?!

들어갔다-!!
삐-
와

바스켓
카운트!!
원
프리스로!!
!!

나이스
이정환!
잘했다,
이정환!!
와아아아

빌어먹을….
와아아아

마치
덤프트럭
같아.
파울한 의미가
전혀
없잖아…!!

영수를
튕겨버리
다니….

와아
휘익
와아

해남이
추격해
왔어…!!
전호장의
덩크로
흐름이
바뀌었어.
와
와
와

常 勝
海南大

침착해라…!!

常 勝

가라-!!
끊임없이
공격해!!

KAINAN

터
억
아얏!?
等学校籠球

콰
아
앙

와
아
아
아
우와아아 ㅡ!!
뭐야, 지금 플레이는?
순식간이라 뭐가 뭔지 모르겠어!

나이스~!
역시 준섭이형이야! 멋져!!

와
와
이제 점수차는 한자리다!
해남대
9:19
2ND
53
6
따라 붙겠는데?!
와
와

안돼.

常勝
30

아아….

이렇게 되면 상대가 해남인만큼 추격당하는 쪽은 상당히 초조하겠어
해남은 일단 기세를 타면 도저히 막을 수 없게 밀고 나오니까.

작전 타임.
네.
副審 平塚
主審 森長

…!

침착하게 가자!

이정환만
잘 막아내면
어떻게든 된다.
해남의 공격은
8할 정도가
이정환을 기점으로
시작된다.

헉
헉
헉
헉
……

……

지금부턴 내가
절대로 놓치지
않겠다.
다리를
잡는 한이
있어도!

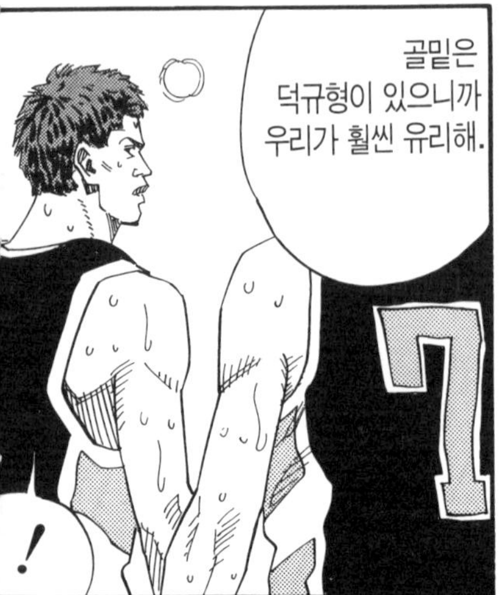
골밑은
덕규형이 있으니까
우리가 훨씬 유리해.
!

좋아…!
내게 맡겨라!!

윤대협….

미안, 작전타임은 취소다.

!
어라…?!

자아, 간다ー!!
좋았어!!

대협이 녀석…
역시 대단한 놈이다….

팀을 재정비 했어.
과연 윤대협이다.
와
와
와

쳇….
거의 무너져가고 있었는데….
와
와

능—남!
와아아아아아
능—남!
능—남!

와
3
앞으로 3초!!
와
와앗! 디펜스도 강력해 졌다!!
와
와
이정환이 쩔쩔 매고 있어!
와

디—펜스!!
디—펜스!!

윽….

파
앗

!!

팟

우왓!!
저렇게
멀리서?!

!!
아…!
들어갔어 —?!
해남대
8:40
능남
56
2ND
61
와
와
와

와 아 아 아

쉽지 않어…!
지금의 3점슛은 끼치는 영향이 크다…!!

역시…
호락호락 져줄 순 없다는 건가….

그렇게 나와줘야지…!!

SLAM
슬램덩크 완전판 프리미엄
DUNK

#144 전국대회로 가는 길
陵南
7

드디어
5점차까지
따라 붙었다!!
과연
해남이다!!
56
8:30
2ND
61
디펜스!!
디펜스!!
!!

윤대협이다.
타점이 높아!!
철썩
와
아
아
아
좋았어
잘했다
나이스, 대협이형!
7점차!!
외곽에
쏘는
상관없다
당황하지마!!
수비!! 이걸 막으면 우리가 확실한 우세다!!

턱
턱
찌릿
찌릿

멋진
수비군!!
윤대협!

공격력이야
어쨌든
윤대협이
저렇게 수비가
좋았었나…!?
수비는
이정환이
애먹을 상대는
아니었는데!!

좋았어,
윤대협!!

쳇!

열심히
단련해 온
덕분이다!!

이정환을 막아내라, 대협아!!

아직 멀었어!!

KAINAN
4
아앗?!
순식간에
제껴
버리다니!!

빨라!!
크윽!!
삐―익
철써걱!
!!

!!
씨익

와아아아아아아
바스켓 카운트!!
우와아앗! 과연 이정환이다!!
원 프리스로!!

이정환밖에 볼 수 없는 아주 작은 허점이 있었던 건가…!?
뛰는 선수 위에 나는 선수가 있다….
와
멍-
와
뚫고들어갈 틈이 전혀 없었는데…!
저 윤대협의 수비를 제치다니!!
와
와
후웃….
역시 벅찬 상대다….
하아
하아
과연 제왕 이정환!!
와
철썩
이것으로 4점차!!
아
아
아
아

거의 다
추격했다.
이젠 얼마
안 남았어!
와아아
해남대
7:54
능남
59
2ND
63
4점차라면
아직 몰라!!
시합의 기세는
해남이
타고 있다!!
아아

왕자 해남!
드디어 진가를
발휘하는군요!!
그래!

이정환의
저력 때문인지
해남은 막바지로
갈수록 기세를
타고 있어.

삐익
앗!!

오펜스!!
딱
차징!!
뭣이!!

와 아
오펜스
파울이다-!
아아
젠장!

아
변덕규가
3개째!!
3
아
아
T4

와
나이스!!
와

이 녀석…!!
파워나 신장
모두 내가
월등한데…
뭔가 끈기가
있다…!!

벌써
3개라….
큰일이군.

와
주장, 이제
파울을
조심해요!
와
알았어!!

3개라
….

!!
파앗
우와아앗!
신준섭이다!!
와아아아아아아아
또,
3점슛ㅡ!

1점차다
-!!
남대
7:08
능남
62
2ND
눈깜짝할
사이에
능남의 리드가
위태로워
지잖아!
이게 바로
왕자 해남의
실력인가!!
좋았어!!
파이팅!!
어째서 우리가
사용한 전법을
쓰지 않는
거지!!
신준섭에게
마크맨을
붙이지 않는 건
자살행위야!!
아니…,
붙일 것
같은데.

선수
교체입니다!!
와
삐삐—
와
아앗,
황태산을
빼잖아!!
와
와

3 학년인
허태환
이다!!
디펜스에
정평이 나있는
허태환을
신준섭에게
붙이려는 거야!!

태산아!
긴장을 풀지
마라!
곧
출전해야
하니까!
예
….

태산이의
공격력이
아깝지만,
지금은 수비가
우선이다!!

이정환과
신준섭에게
마크를 붙이는 건
북산과 같은
작전이군요.
능남은
갈수록 점점
더 몰리고
있어….
와
와

황태산을
빼다니….
구야….

!!

!
변덕규에게
달려들어라

능남의
기둥인
변덕규를
코트에서
몰아내라!

삐──
!!
디펜스!!

아…
아니!?

와아아
파울
4개다!!
안
좋아!!
변덕규
파울
4개째-!!
아
아

잠깐만!
내
파울이라구!?
손을
들게!

그만해라,
변덕규!!

그냥
서 있었을
뿐이야!
왜 내게
파울을 주는
거지!!
똑똑히
보고 심판을
해야지!!
윽
!

–테크니컬 파울–

간단히 말하면 스포츠맨답지 않은 언행이나 행동을 했을 때 주어진다. 파울 1개에 해당되고, 상대편에 프리스로 2개를 준다.

Dr.T의 도움이 되는 바스켓볼 입문

저런
어처구니
없는
일이!!
그래!!
변덕규는
퇴장인
겁니까!?

어리석은
녀석.

걱정마세요.
아직
7분이나
남았는데!!
리드는 단지
1점!!
2ND

어찌할 셈이냐,
윤대협….

전국대회로
가는 길은
쉽지 않군….

두목 원숭이는
어찌되든
내 알 바 아냐.
투덜
투덜
주인공을
출연시켜!

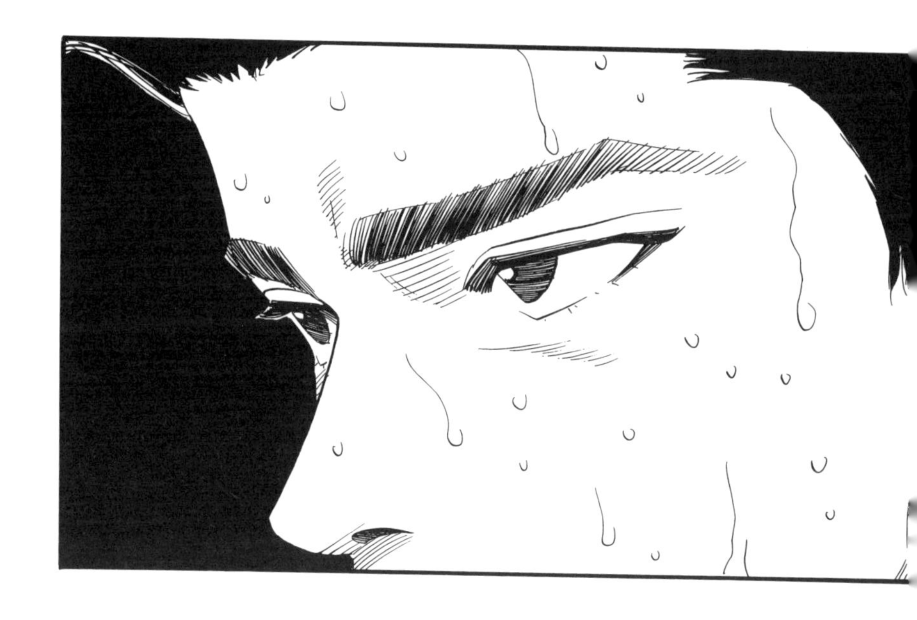

♯145 수퍼스타 대결

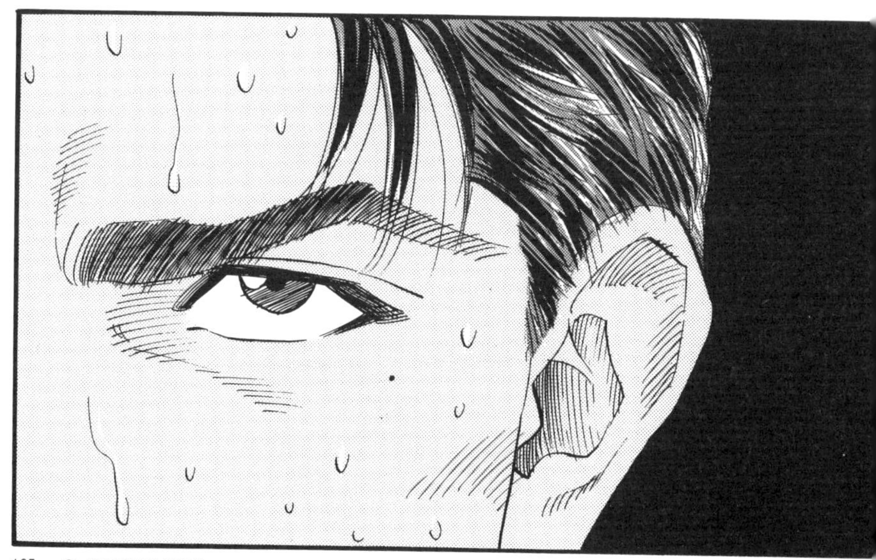

녀석에겐
주장 자격이
없어!
판과 싸우고
장당하다니….
리석은 놈!

의기소침해진
변덕규를
제쳐놓고.
헉
헉
해남의
이정환이
프리스로 2개를
침착하게
성공시킨다.
와아아아아
드디어 해남이
역전했다!!

좋아, 좋아!
긴장을 풀지 마라.
상대를
너무 의식할 필요는
없어!!

와아아아
6:54
능남
64
2ND
63
능남도
여기까지지가
한계인가!?

이젠 능남이
질질
끌려가겠는데

……!!

!!

다
다
다
윤대협!!
냉정함을 잃어버렸나!?
다

슈윽
!!

철
썩
!!
우와아
향
향
윤대협!
역시
대단해!
우와아앗!!
아
아
야야
골바로
재역전!!
1
2
3
4
해남대
6:46
64
2ND
능남
65
1
2
3
4

역시 굉장한
녀석이야!!

……

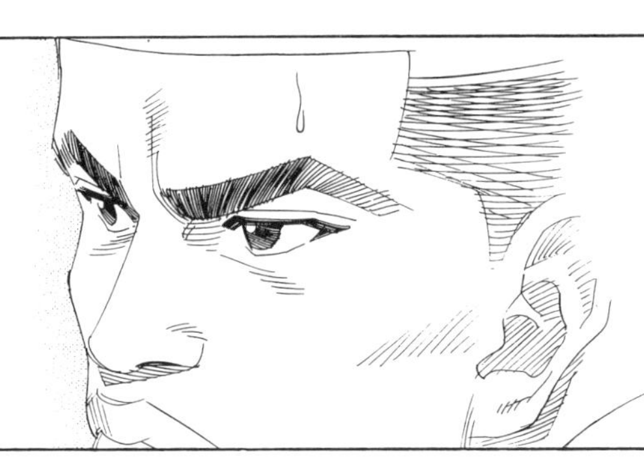
해남을 상대로
기둥인
변덕규를 잃고,
또한 황태산도
쓸 수 없다.
이미 능남에겐
승산이
거의 없다고
해도
과언이 아냐.

그런데
저 눈빛들은
도대체
뭐지….

맘에
안 들어….

'그래도
윤대협이라면…'
'윤대협이라면
분명히 뭔가
해줄 거야…!!'

그런
눈빛을 하고
있다…!!

탁
앗!
스틸!!
역시
이정환과의
신장차가
빛을
발하는군!!
!!

원맨
속공이다!!
앗
쳇!
윤대협 대
이정환!!
세대교체를
할 때가
온 건가!?

부탁한다,
윤대협!!
가라ー!!

으랏차!!

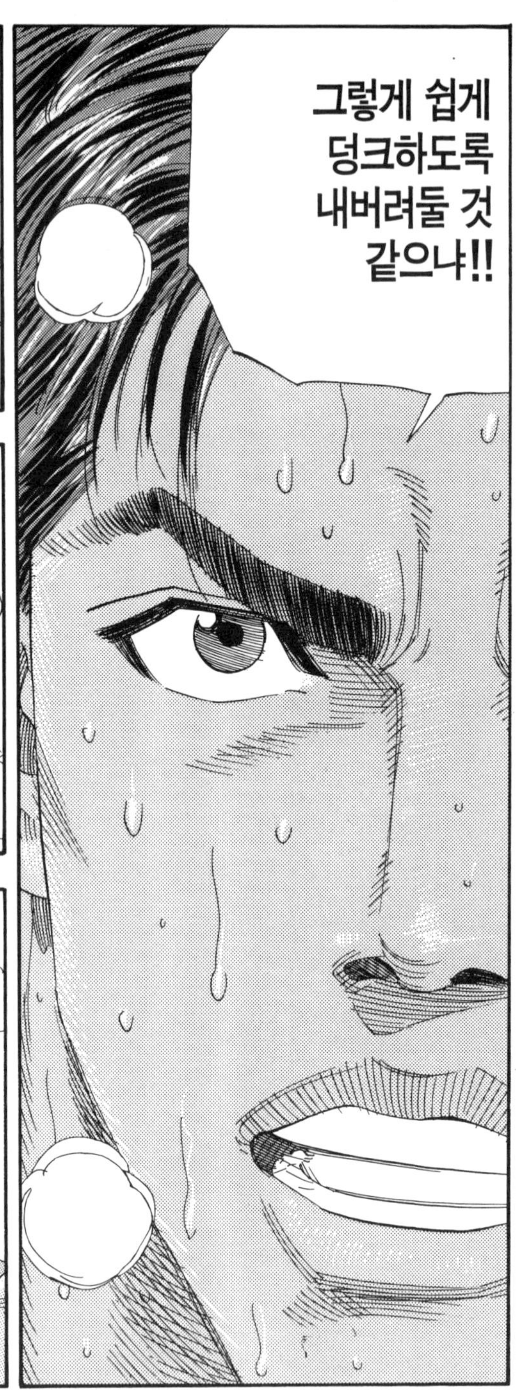
그렇게 쉽게
덩크하도록
내버려둘 것
같으냐!!

……!!

흥

픽

아-뇨, 반드
성공시
거예요
호오, 어디 해보시지!
이 시합중에 한 골은!
할 수 있다면 해봐라!
점점 열기가
더해지는데
이정환도 윤대협도 상당히 뜨거워졌는걸!
두 사람 모두 라이벌 의식이 넘쳐흐르는 것 같아!!
KAINAN

으윽…!
이정환이다
-!!
슉
또 다시
격전-!!
와
윤대협이
반격한다
-!!
와
파
능남,
다시 1점
리드!!

와
와
와
와
윤대협 녀석,
제왕 이정환을
상대로
한발자국도
양보 안하는걸!
대단한
녀석이야!
와

R
R
R
R
R

R
R
R
R
R

R
R
R
R
가요.

예,
여보세요.
철컥

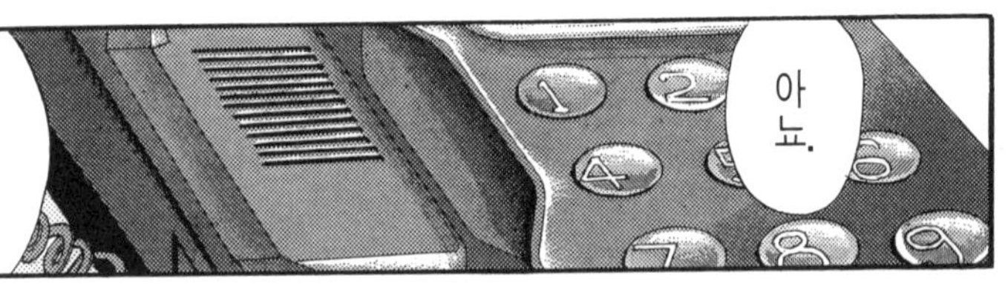
아뇨.

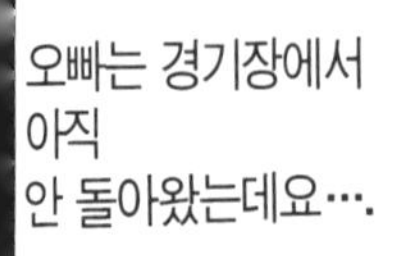
오빠는 경기장에서
아직
안 돌아왔는데요….

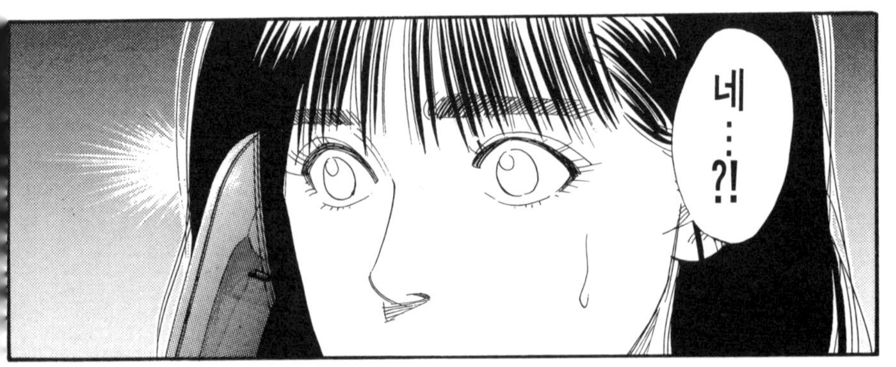
네…?!

와아아아아
이정환!!
윤대협!!
윤대협!!
이정환!!

이정환 대
윤대협의
1대1 승부가
됐군…

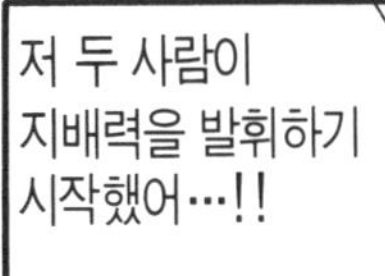
저 두 사람이
지배력을 발휘하기
시작했어…!!

시합의 행방이
점점
혼란스러워
지는걸….

안선생님이
쓰러지셨
다구요…?!

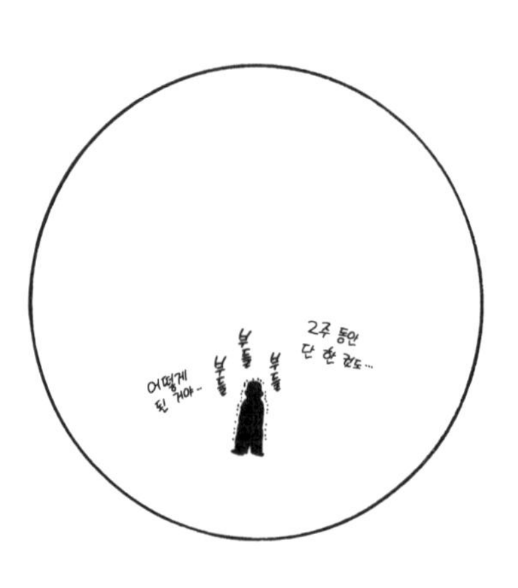
어떻게 된 거야…
부들 부들 부들
2주 동안 단 한 권도…

와아아아아아
라스트
5분이다!!
파이팅!!
능남!!
해남!!

안선생님이…?!

와
와
와

#146 조금만 더

좋았어--!!
와아아
정환이형!!
팍앗
또, 해남의 리드다!
해남대 68
4:40
2ND
능남 67
이것이 해남의 저력이다!
헉
헉

대협이형이 지치기 시작했어.
이런 건 처음이야…!!
과연 해남이야…

대협이가 지쳐보이는군.
당연하겠지.

공격도 수비도…
대협이 혼자서
짊어진 부담이
너무 커….
이정환을
마크하는 건
옆에서 보는 것
이상으로
중노동일
것이다….

스슥
한 명을
더 붙여
더블팀으로
갈까?

이렇게 되면
북산과의 시합까지
악영향을 미칠지도
모른다….

틀
!

뭐냐,
태산아?

……………

그건 윤대협 자존심에 상처 입히는 겁니

……!!

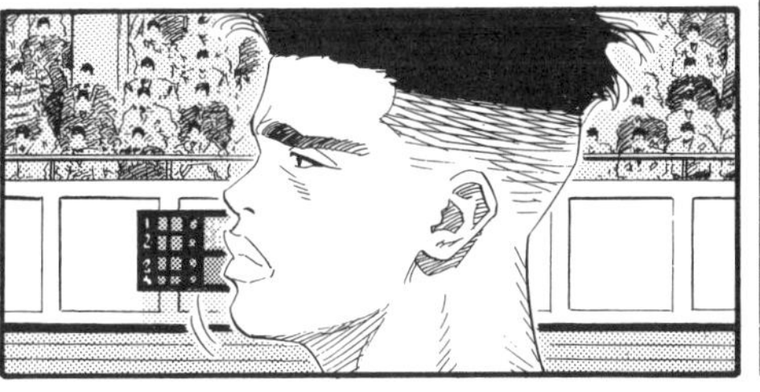

녀석은 결코 지지 않을 거예요.

삐-삐
아

대협이를 도울 수 있는 건 너밖에 없다!

알았다, 태산아.
네 말이 맞아.
공격면에서 대협이의 부담을 덜어주거라.

우오
선수교체!!
쿠
황태산!!
와아
황태산이
다시
등장했다!!
와아
와아
황태산!!

황·태·산!
우와아
황·태·산!
황·태·산!
와아

얼마든지
덤벼라….

무슨
생각으로
…
점수
쟁탈전을
해보자는
건가!?

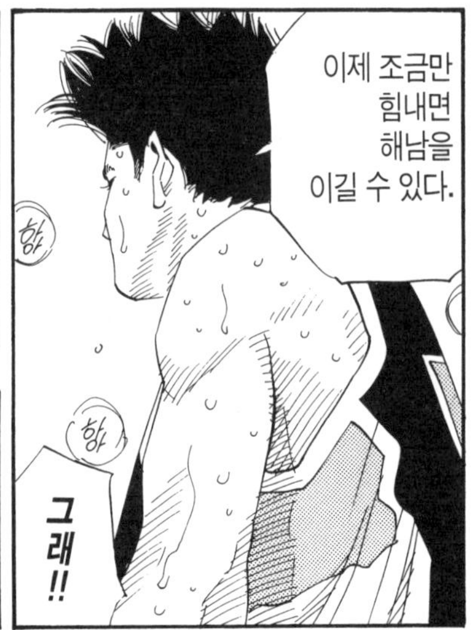
이제 조금만
힘내면
해남을
이길 수 있다.
항
항
그래!!

이길 수
있다!!
항

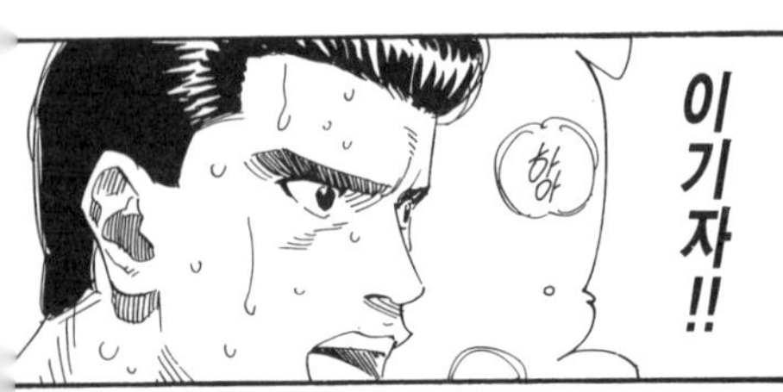
이기자!!
항

와
아 아 아 아
채치수
학생!

북산고
채치수 학생
있습니까!?
채치수
학생!

북산고의
채치수 학생,
없나요!?
응?

제가 채치수
입니다만….
깜짝
앗,
치수 학생!?

전화가
와 있어요!

무슨
일이지?
?

대회
본부실
응.
무슨 일이냐?
소연아.

왜 그라
침착하
말해 보
그래.

뭐라고?!

알았다.
그래서….
쓰러지셨다고…?!
병원은?

자,
갈까!!
와아 아아
OH!!

북촌
종합병원까지!
철컥
엄청 크구먼.
학생,
농구하나?

좀
서둘러
주세요!!

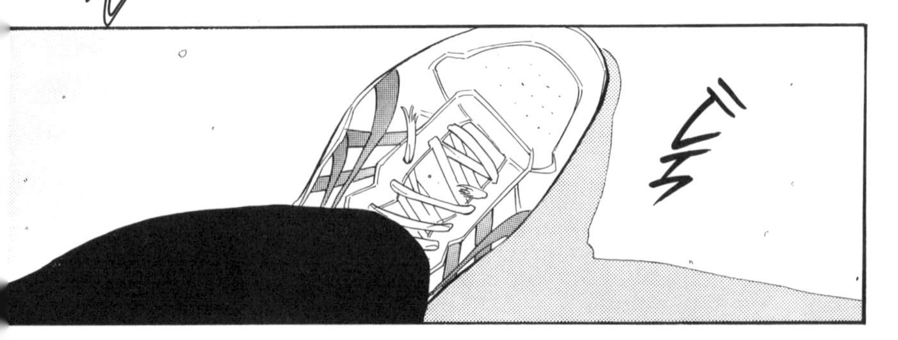

……!

이
신발도 벌써
4년이나
신었군….
이제 수명이
다
된 건가…?

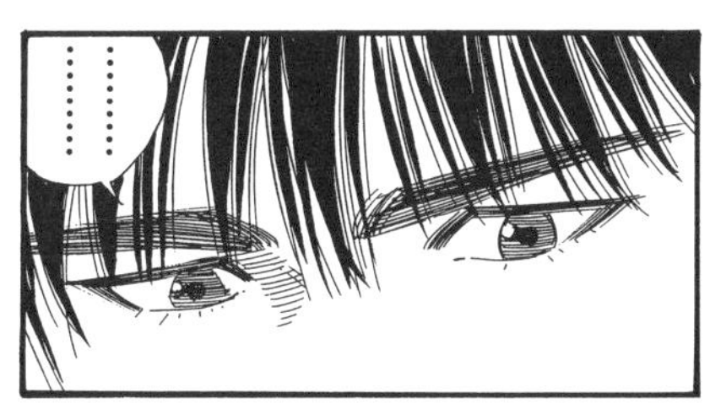
……
……

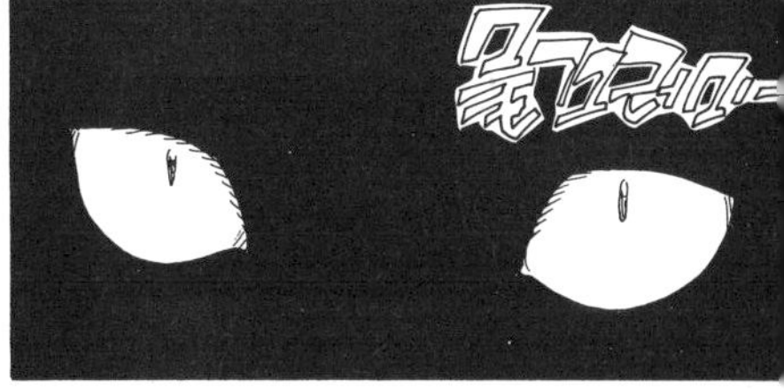

……

뭐야,
재수없게스리 -.
사람을 얕보고
있군.
뻔뻔스런
녀석 같으니!

크악!

우왓!?
뭐야?
이놈!

생명에 지장이
있는 건
아닌 것 같지만….

지병같은 게
있으셨던
걸까….

내일
시합은….

금은
런 게
제가 아냐.

대 :32 능

해남대 능 남

79 75

봉
와아아아아아
……
휙
들어갔다!!
와앗, 파이팅!!

한 골차다!
능남 77
해남대 79
2ND
20
라스트 20초!!
과연 태산이 형이야! 믿음직스러워!
수비해! 적극적으로 붙어!!
이정환을 마크해라!!

다다다
우와앗!!
힘내!!
10초도 안 남았다!!
시간이 없어!!
와아아아아아아
달라붙어!!
볼을 빼앗아!!

이정환.
볼을 지켜!!
젠장!
뺏을 수가
없어!!
학
학
잘했다,
태환아!!
아니
?!

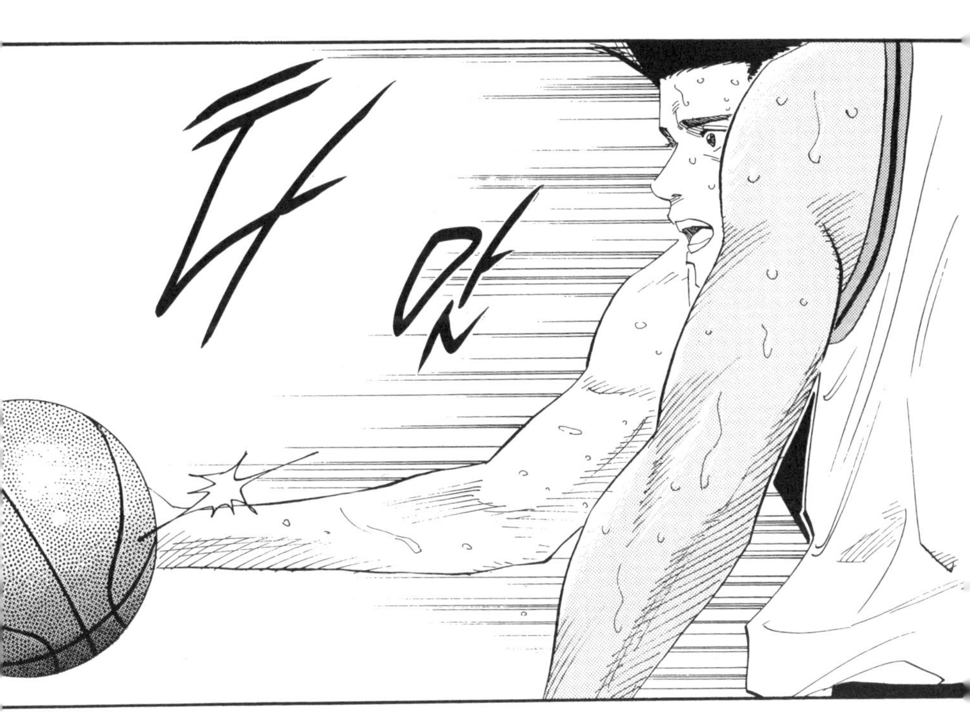
파앗

!!
常勝

!!

!!

우와아 — 앗!
볼을 빼앗았다!
와아아아아아

와
시간은!?
해남대
79
5
2ND
능남
77
윤대협이 공을 잡았다!!
아직 있어!
4
달려라 ㅡㅡ!!

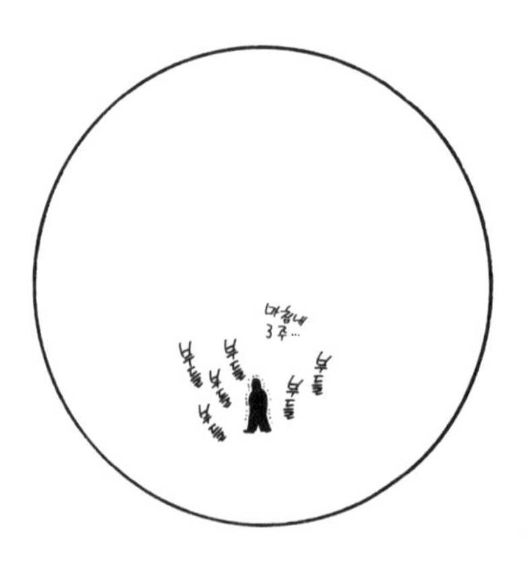
마침내
3주…
부들
부들
부들
부들
부들
부들

#147
윤대협의 시나리오

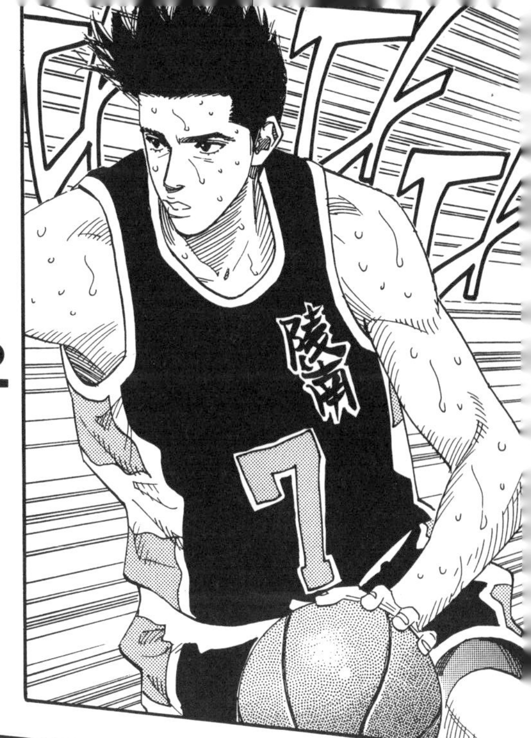

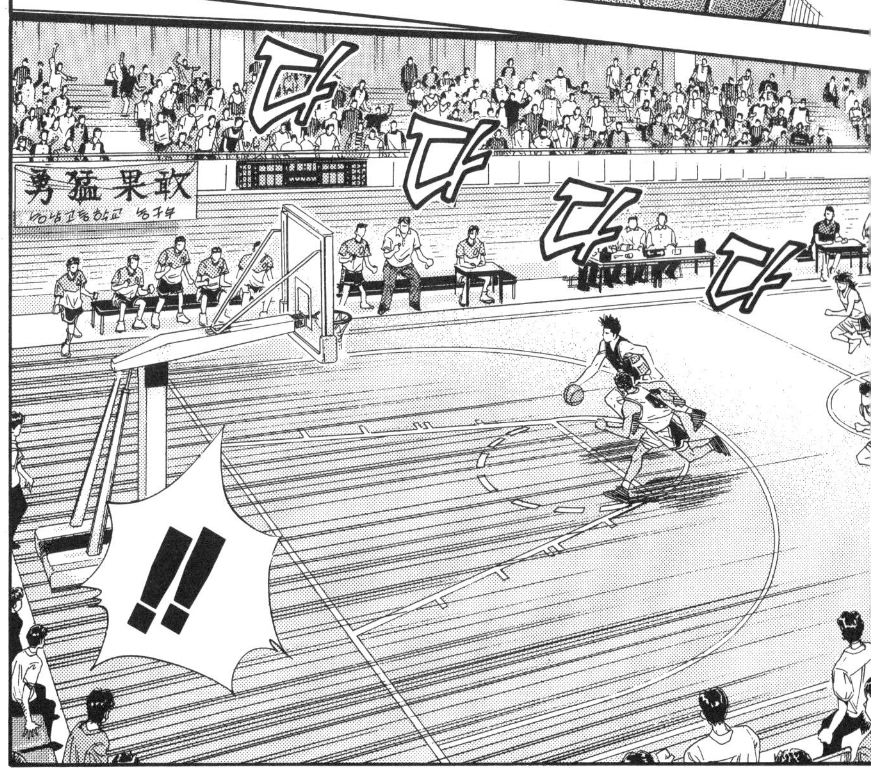

다
다
다
다
勇猛果敢
능남고등학교 농구부
!!

이정환, 정말
빠르다.
벌써 따라
붙었어!!
야
야
야
우왓!
좋아!
따라
잡았다!
……
우와아아아앗!!

이상하다.
이정환은
순간 그렇게
생각했다.
내가
윤대협이라면….
!!

陵南
KAINAN
4
陵南
常勝

하아
하아
하아

하아
하아
하아

우와아아－
앗!!
골인이다!!
아아아아아

타임
아웃!!
삐이이임익
!!
해남대
79
2ND
79
와아
윤대협!!
연장전이다!!
와아아아
아아
연장전이다―!!
대협아!!
와아아아
윤대협이
해냈다―!!

으랏차!
!!

……

과연
대협이형!
천재야!

2분 휴식 후,
5분의 연장전을
시작하겠습니다.

웅성
웅성
1:58
능 남
79
79

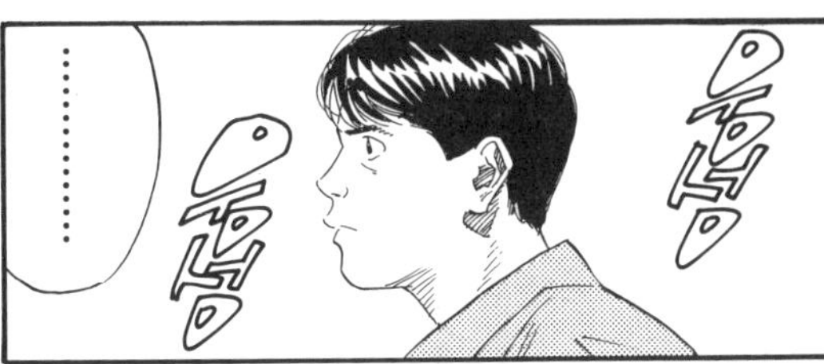
웅성
웅성
…………

오히려
이정환이
일부러
피한
것처럼
보였어….

이정환이
블로킹할 수
있었던 거
아니었나요
…?

그렇게
생각해?
내 생각도
그래….

아니,
그 전의
드리블….
윤대협치고는
너무나
간단하게
추격당한 듯한….

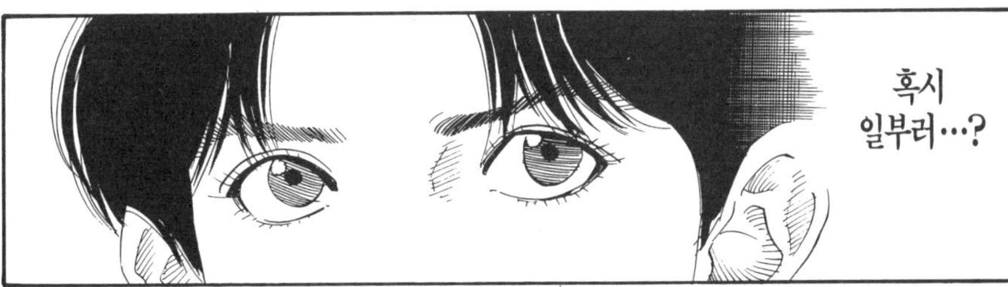
혹시
일부러…?

윤대협….

야, 저기 김수겸 아냐…?
진짜네.
해남은 보고 싶지도 않다고 해놓고선…
사실은 보고싶었던 거야!

……

빌어먹을….

……

헉
헉

윤대협….

무서운 남자다.
윤대협….
2점 지고 있는 상황,
게다가 5초 남은
그 상황에서
윤대협은….

일부러
이정환에게
추격당해
파울을 유도했다.

삐
ㅡ
익
1분전!!

숏도 성공시키고
이정환에게
파울도 얻어내,
바스켓 카운트
프리스로를
넣어
79－80.

그것이
그 순간에
윤대협이
그려낸
시나리오였음에
틀림없다.

저 녀석…,
자신이
있었다는 건가.

가
녀석
었어도
렇게
겠지만

이
때,
정환은 윤대협이
신의 위치까지
장했음을
신했다.

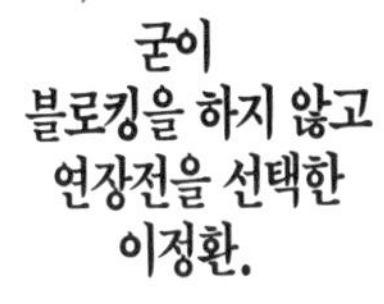
굳이
블로킹을 하지 않고
연장전을 선택한
이정환.

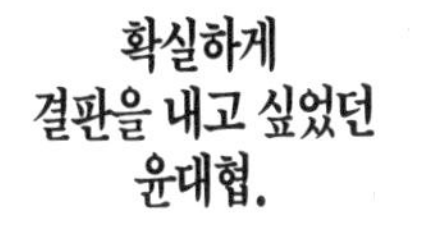
확실하게
결판을 내고 싶었던
윤대협.

그리고
팀으로서의 힘은
어느쪽이 위이든—

쳇….
저 녀석들….

내가 없는
곳에서의
No.1 다툼은
하지 마라.

삐—익
해 남 대
79
79
연장전을
시작하겠습니다!!

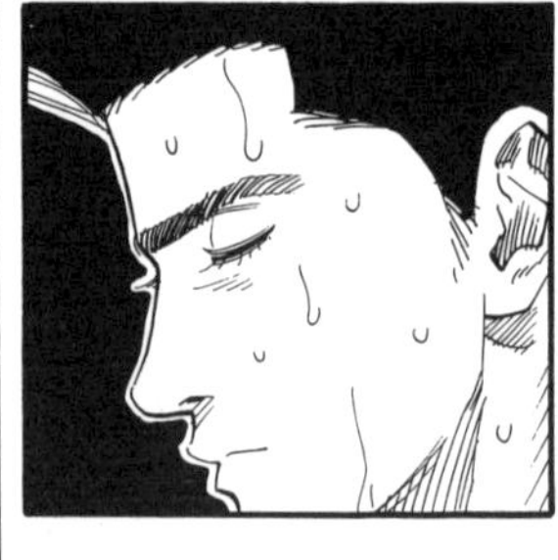

좋아-!
마지막까지
포기하지
마라!!
그래!!
우린
승리한다!

KAINAN
KAINAN
AINAN

잘한다,
잘한다.
능남!!
와와
포인트가드로서 게임을 컨트롤 하고 있던 윤대협은 변덕규가 없는 팀의 한계를 느끼고 있었던 거야.
와
잘한다! 힘내라 -!!
와
힘내라~. 해남~!!
와
이겨라, 능남!!
와
어떡해서든 결말을 내고 싶었겠지.
와
와
아까 그 한번의 플레이로 승리를 얻고 싶었던 거다.
와

와아아아
시합 종료-!!
아와아
해남대
능남
0
89
OT
83
1
2
3
4
常勝
아

陵南

윤대협.
말해두겠지만
북산은
강하다.
항
항

알고 있어요,
정환이형.
항
항

항
항

항
항
항

2연승으로
해남대부속고의
전국대회 출전은
확실시되었다.
와아 아 아아
그리고 내일 –
1승 1패인
능남과 북산이
남은 한 자리를 걸고
싸우게 되었다.
아
아
아

北村総合病院
北村総合病院

!?

나 왔다!!
그것도
두-컷이나…

♯148 아버지

강백호…!?

!!

백호야!!
왜 그래!!
SHOHOKU

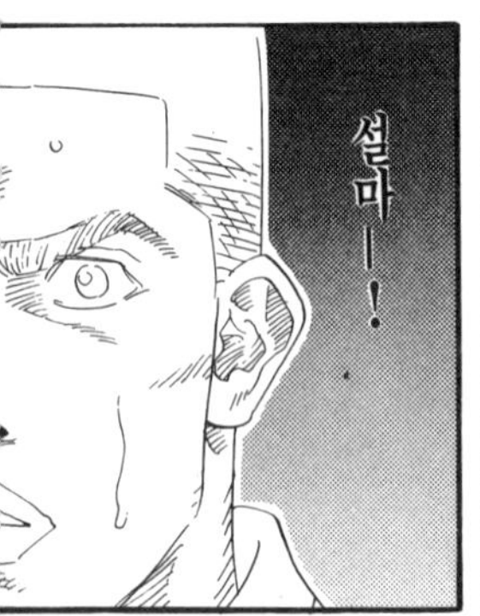
설마-!

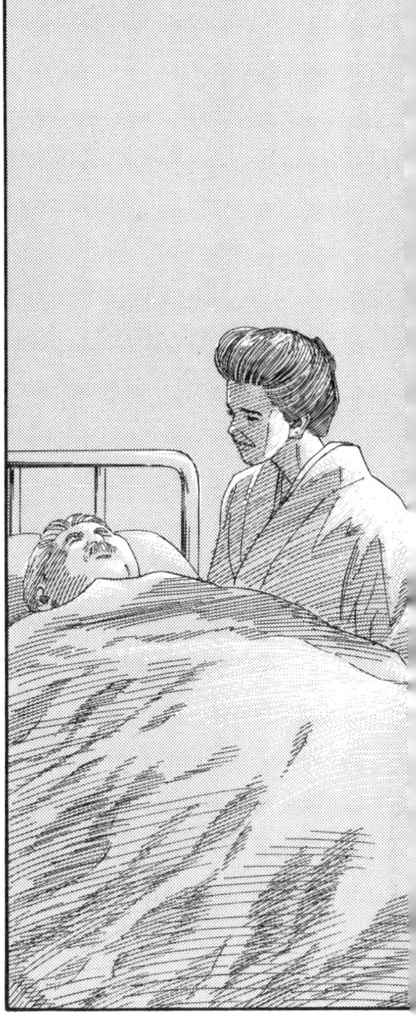

선생님―

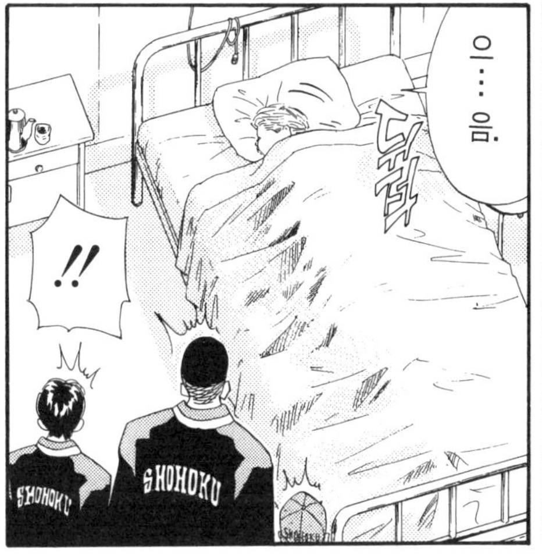
으… 음.
!!

지금 막 잠드셨어요.
……

백호… 저 녀석!
사람 헷갈리게 하고 있어!

스윽

그런데 선생님은 괜찮으신 건가요?
예, 그럭저럭.

단지, 여러가지 검사가 있어서
2~ 3일 입원해 있어야 될 것 같아요.
미안하군요. 중요한 결승리그 때 이런 일이….

아뇨.
내일은 무리겠지….
아, 인사가 늦었습니다. 전 농구부 주장 채치수라고 합니다.

부주장인 ….
권준호군 이죠?

그리고 미인 매니저 이한나양.

어머
미인이라뇨
……
호호호.

가끔
시합을 보러
간답니다.
그래서
모두의 얼굴을
기억하고 있죠.

푸-
푸-

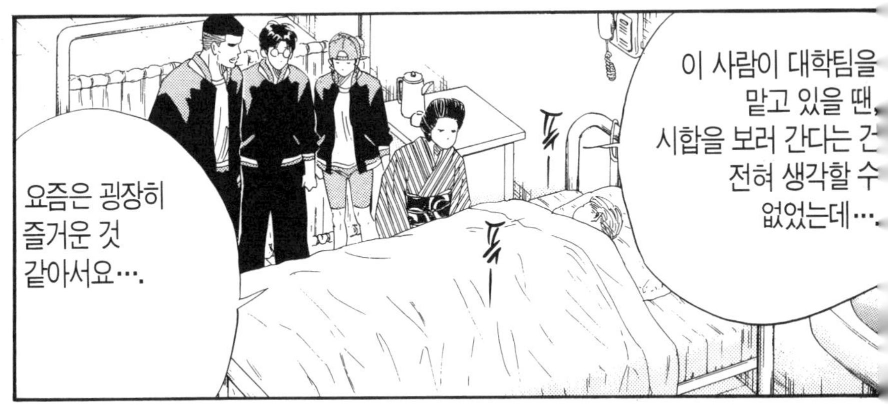
이 사람이 대학팀을
맡고 있을 땐,
시합을 보러 간다는 건
전혀 생각할 수
없었는데….
푸-
푸-
요즘은 굉장히
즐거운 것
같아서요….

즐거운 것
같다….

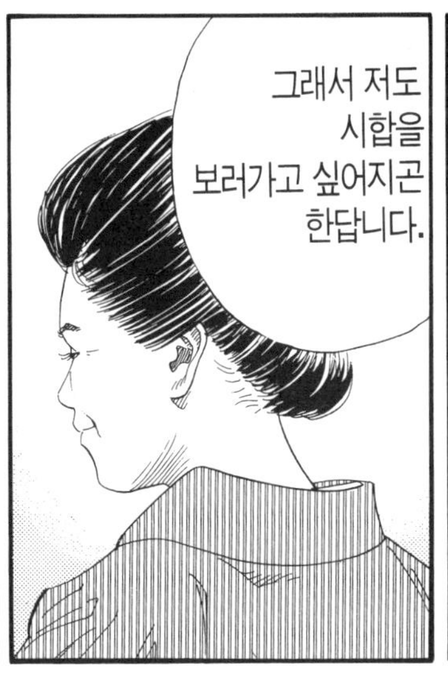
그래서 저도
시합을
보러가고 싶어지곤
한답니다.

……
SHOHOKU
SHOHO

그러고 보니
그 당시
선생님은 굉장히
무서우셨다는데
….
그때의
이야기를
여쭤봐도
될까….

백호군 덕분에 살았죠.
그 아이가 없었다면 어떻게 됐을지….
백호가!?
백호군의 슛연습을 지켜보고 있었었나 봐요.

영감님, 멍하니 있지 말고 패스라도 해주세요. 감독이잖아요!?

영감님!?

왜 그래요!!

영감님!!
백호군이 구급차를 불러 함께 타고 온 데다가….

병원 사람에게
부탁해
치수군에게 알리고
본인은
우리집에 전화를
걸어 줬어요.

백호군의 민첩한 조치가
없었다면 큰일을
당했을지도 모른다고
의사 선생님이
말씀하시더군요….
……
!!

백호가….
민첩!?

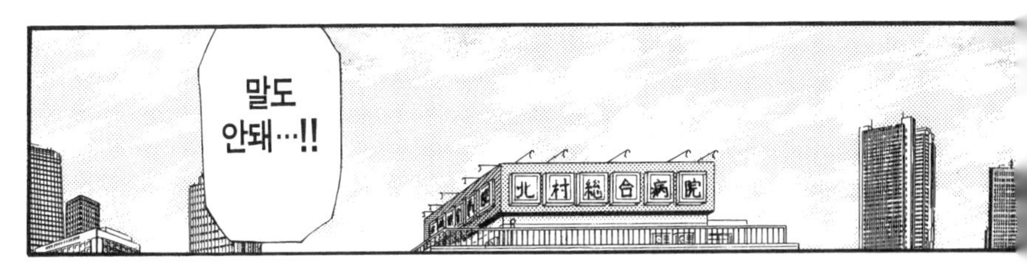
말도
안돼…!!
北村総合病院

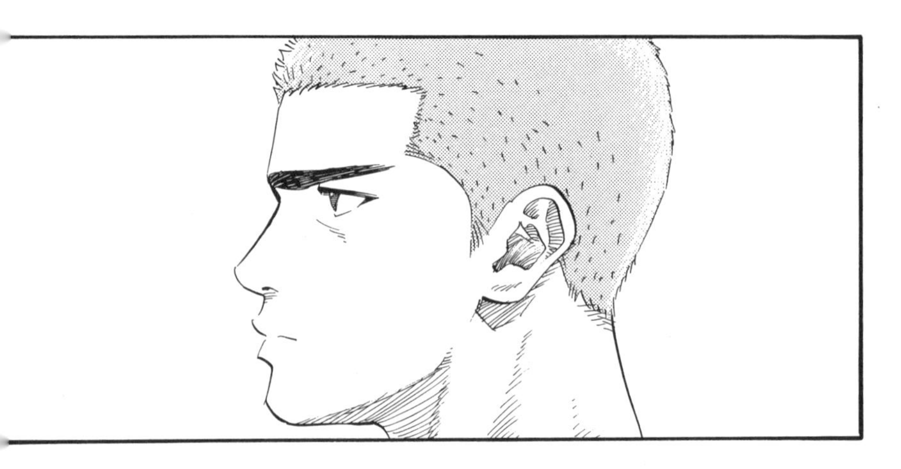

퍽
억
큭!!
욱…!
강백호…!
……
털석
부끄럽지도
않나?
4명이 1명을
습격하다니….
헉
그것도
중학생을
상대로!
고등학생이
맞아.
헉

흥….
스윽

강태기
철컥

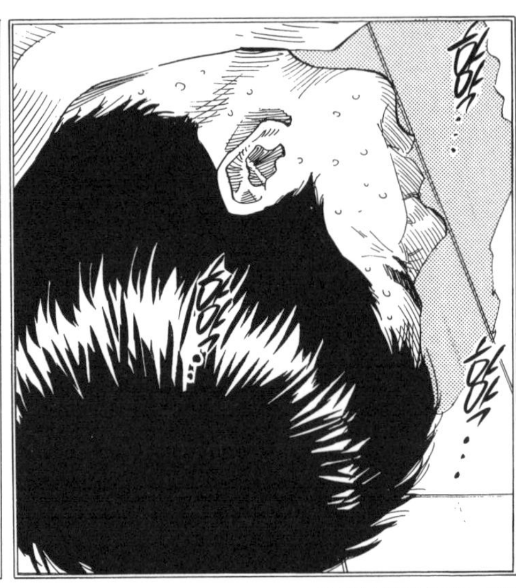
헉…
헉…
헉…

아버지!!
정신 차리세요!!
아버지!!

병원은 바로 저기다.
의사를…!!

헉
헉
헉

헉
헉

!!

……!!

비켜!!
제발 날 놔줘!

퍼억
!!

조금전엔 4명을 가지고도 상대가 안됐지….
그래서 이번엔 8명을 데려왔다.
자존심은 이미 버린지 오래다.

바보같은 놈들! 지금 이러고 있을 때가 아니란 말야!
비켜!!
건방떨지 마, 강백호!!
퍼억
받아라!!
!!
제발 비켜줘!!

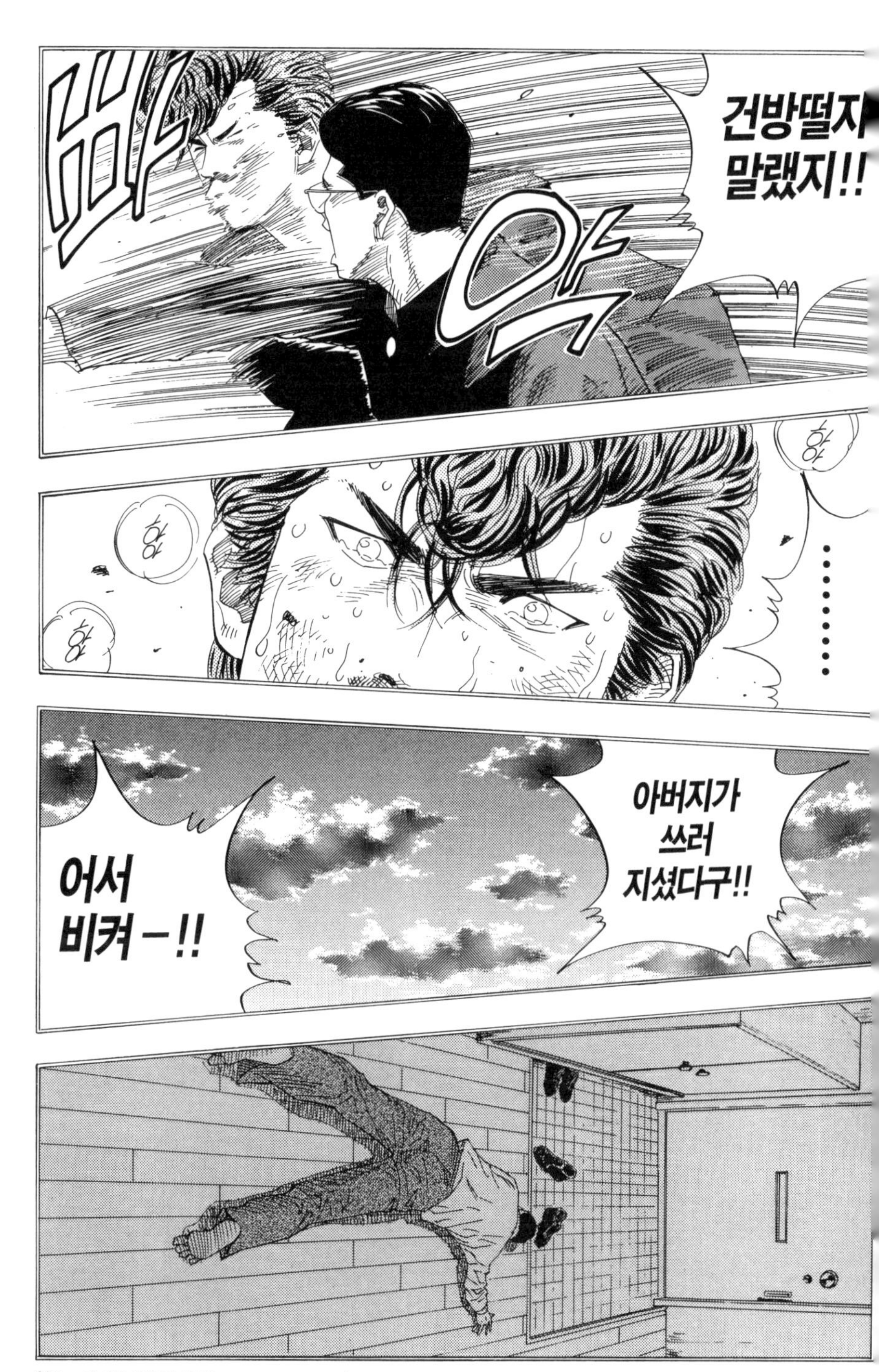
건방떨지
말랬지!!
……
아버지가 쓰러 지셨다구!!
어서 비켜ー!!

…………

잠시
옛일을
떠올렸던
강백호였다….
CABIN
MILD SEVEN

응?

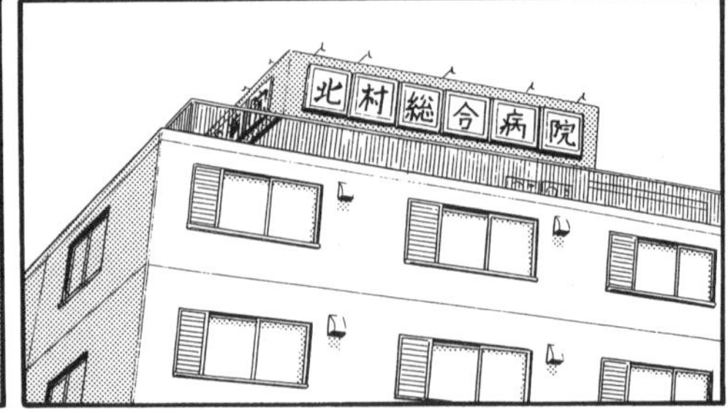

北村総合病院

	해	북	능	무
해남대부속		○	○	
북산	×			○
능남	×			○
무림		×	×	

북산인지 능남인지!
내일 능남전에서 전국대회 진출의 나머지 한 팀이 결정난다.
긴 팀이 국대회에 출하는 거 지?

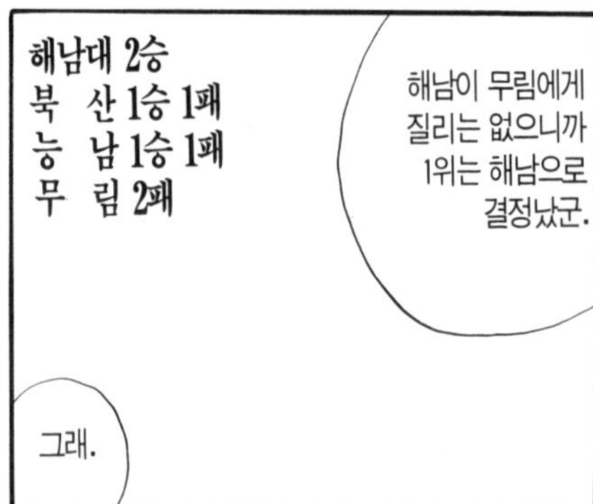
해남대 2승
북 산 1승 1패
능 남 1승 1패
무 림 2패
해남이 무림에게 질리는 없으니까 1위는 해남으로 결정났군.
그래.

알기 쉬워서 좋군.
좋아….
JOY
STAGE DOOR now anoc

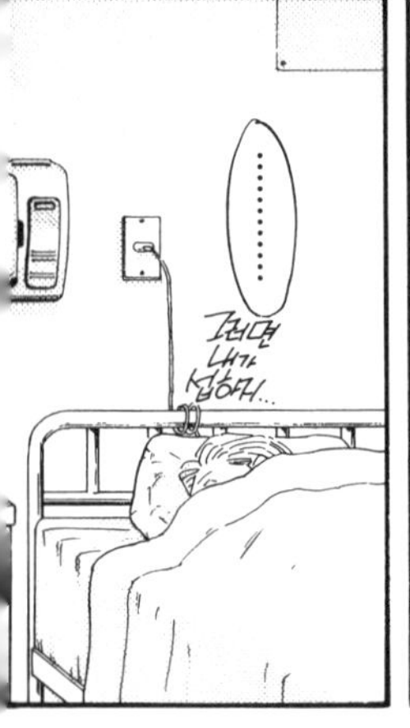
…….
그러면 내가 섭하지…

저 아이들이라면 반드시 승리할 거예요.
당신이 없어도….

…….

뭐!?
선생님이!?
이런 이유로
내일은
영감님이 없어!
단단히
정신차려야 해!!

선생님이…….

선생님….
내일 꼭
전국출전의 소식을
병문안 선물로
가져갈게요….

…….

3학년들의
은퇴 시합치곤
너무 이른걸.

좋았어.

난 여름이 끝나도 은퇴 안해!
다음 대회도 나갈 거야!
뭐!? 정말 이야?!

뭐야!? 불만 있나!!
앙!?
아니, 뭐….

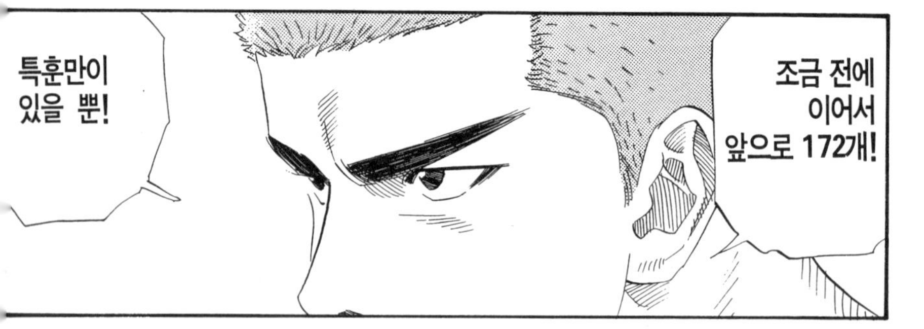
조금 전에 이어서 앞으로 172개!
특훈만이 있을 뿐!

좋았어, 백호야! 내가 수비가 되어주마.

난 패스해 주지.

난 옆에서 잔소리 해주지.

숙적 능남과의
전국대회 출전을 건
마지막 싸움이 —

지금 시작되려고 하고 있다.

13 SLAM DUNK(完)

이제야
주인공다워졌네…
정말
다행이다…
훌쩍
후우-

SLAM
슬램덩크 완전판 프리미엄
DUNK

슬램덩크 완전판 프리미엄 13

2007년 9월 23일 1판 1쇄 발행　2023년 2월 14일 2판 3쇄 발행

•

저자 …… TAKEHIKO INOUE

•

발행인 : 황민호
콘텐츠1사업본부장 : 이봉석
책임편집 : 김정택/장숙희
발행처 : 대원씨아이(주)

•

서울특별시 용산구 한강대로 15길 9-12
전화 : 2071-2000 FAX : 797-1023
1992년 5월 11일 등록 제 1992-000026호

•

•

ISBN 979-11-6944-808-6 07830
ISBN 979-11-6944-793-5 (세트)

•

• 잘못 만들어진 책은 구입하신 곳에서 바꾸어 드립니다.
• 문의 : 영업 02-2071-2075 / 편집 02-2071-2116

SLAM
슬램덩크 완전판 프리미엄
DUNK

SLAM
슬램덩크 완전판 프리미엄
DUNK